D1240166

RECETTES AU "BLENDER"

- Maquette de la couverture: JACQUES DESROSIERS
- Photo de la couverture: BERNARD NOBERT

- Distributeur exclusif:

POUR LE CANADA

AGENCE DE DISTRIBUTION POPULAIRE INC.
1130 est, rue de La Gauchetière, Montréal 132 (523-1600)

POUR L'EUROPE

VANDER
Muntstraat 10, 3000 Louvain, Belgique; tél.: 016/204.21 (3L)

 2

Bibliothèque nationale du Québec
Dépôt légal — 4e trimestre 1971
ISBN-0-7759-0308-6

Juliette Huot

RECETTES AU
«BLENDER»

LES ÉDITIONS DE L'HOMME

CANADA: 1130 est, rue de La Gauchetière, Montréal 132
EUROPE: 321, avenue des Volontaires, Bruxelles, Belgique

Juliette Huot

RECETTES AU
"BLENDER"

LES ÉDITIONS DE L'HOMME

Table des matières

Avant-propos

Voilà donc un troisième livre de recettes, diront les lecteurs. « En cuisinant de 5 à 6 » était un livre de recettes simples, et j'oserais dire, de profane. Je voulais avant tout donner des recettes économiques à la maîtresse de maison qui souvent ne peut trouver que des livres de haute cuisine où la marche à suivre est compliquée. La gastronomie véritable peut-elle se pratiquer avec le peu de temps qui est à la disposition des femmes modernes? Je crois que oui, depuis que nous avons pour nous aider des appareils qui existent, précisément, pour gagner du temps — comme le « blender », par exemple. Mais j'y reviendrai.

« En cuisinant de 5 à 6 » a eu un tel succès en librairie que je me suis prise au jeu. A chaque fois que mes occupations de comédienne me le permettaient, j'ai fait l'expérience de nouvelles recettes, j'ai lu beaucoup sur la cuisine tout en essayant de passer de la théorie à la pratique. Il est d'ailleurs amusant de constater que plus on approfondit ses connaissances culinaires, plus on apprend en même temps et facilement des notions de chimie et de physique. Mais la cuisine n'est-elle pas surtout de l'Art? C'est vrai, mais si talentueux que vous pouvez être, l'art culinaire s'apprend comme l'art dramatique.

C'est pourquoi, j'ai suivi quelques cours avec le professeur Henri Bernard qui a été pour moi un conseiller précieux. L'idée de faire ce livre m'est venue à la suite de ces expériences mais je voulais avant tout que l'aspect pratique soit toujours bien en évidence.

Les « blenders » sont des appareils qui permettent de faire très rapidement des recettes excellentes: des potages, des entrées, des desserts et bien sûr une grande variété de boissons et rafraîchissements. Songez que, avec un blender » on ne peut manquer une vraie mayonnaise; on peut préparer en quelques minutes des croissants au jambon, un hachis Parmentier, une mousse aux fraises et bien d'autres mets succulents . . .

Rien de très compliqué à faire, c'est mon souci le plus grand, mais toujours de la bonne cuisine, selon des recettes minutieusement mises au point. Maîtresse de maison, préparez votre « blender ».

JULIETTE HUOT

Hygiène alimentaire

Le mode de vie actuel et l'abondance de produits alimentaires qui le caractérise compliquent à tout point de vue pour chaque personne l'évaluation de ses besoins alimentaires.

De ce fait, chaque individu peut être amené à commettre des erreurs préjudiciables à sa santé. C'est donc pour les éviter que des règles alimentaires ont été édictées. Elles sont à la disposition du public dans toutes les unités sanitaires.

Du fait de la généralité de ces règles, chacun doit les interpréter et les adapter en fonction de ses goûts, de son tempérament, de ses occupations, de son âge. Pour mieux y parvenir, on devrait acquérir une certaine connaissance de la physiologie gustative et digestive, prendre l'avis du médecin, acquérir également les connaissances et le savoir-faire culinaires desquels dépend aussi l'application d'une sage hygiène alimentaire.

Caractéristiques

Les caractéristiques suivantes favorisent la manipulation des blenders électriques:

Des couteaux amovibles en acier inoxydable à 4 lames pointues.

Un bocal carré, amovible en pyrex, à parois nervurées, dont l'orifice inférieur en forme de puits, loge les couteaux, disposition qui favorise l'attraction des aliments vers le fond et le broyage le plus efficace.

Un moteur très rapide comportant un minimum de 3 vitesses:
lente — moyenne — très rapide.

Mode d'emploi

La rapidité et le bruit d'un blender ne doivent pas inquiéter. Ces appareils éprouvés sont sûrs s'ils sont utilisés conformément à leur mode d'emploi.

Selon notre propre expérience, seuls les procédés décrits dans ce mode d'emploi donnent un résultat satisfaisant.

MONTAGE

(cas des blenders à couteaux et bocal amovibles)

- Retourner le bocal, le poser sur son orifice.

- Placer l'anneau en caoutchouc sur le manchon fileté.

- Retourner les couteaux, les introduire dans le manchon.

- Faire coïncider les bords du support des couteaux, de l'anneau et du manchon.

- Visser à fond le bouchon fileté sur le manchon.

- Retourner l'ensemble, le déposer sur le bloc moteur et lui imprimer ¼ de tour vers la gauche pour enclencher l'entraîneur des couteaux sur l'axe du moteur.

VÉRIFICATION

- Faire fonctionner l'appareil à vide à vitesse lente, puis rapide, pendant 1 ou 2 secondes.

MANIPULATION

Fermeture du bocal

- **Ingrédients froids:** à moins de contre-indication, avant la mise en marche, fermer hermétiquement le bocal avec son couvercle.

- **Ingrédients chauds:** avant et pendant le fonctionnement, maintenir le bocal entrouvert, sinon la vapeur se comprimera, l'éjectera violemment ainsi que les ingrédients.

Quantités

- Les quantités qui peuvent être traitées convenablement dans un blender sont limitées. Elles sont indiquées dans les recettes pour chaque ingrédient et chaque opération.

Opérations

- Elles sont si brèves que le plus pratique est de surveiller constamment les ingrédients et d'arrêter l'appareil dès qu'ils sont prêts.

- **Recommandation:** Ne pas laisser fonctionner l'appareil plus longtemps qu'il ne faut car l'air qui s'accumule dans la préparation nuit aux vitamine C et peut compliquer la digestion.

- **Vidage du bocal:** (cas de couteaux et bocal amovibles) vider les préparations épaisses par l'orifice inférieur.

Sécurité

- Ne jamais introduire les doigts, une cuiller ou une spatule dans le bocal pendant que l'appareil fonctionne.

ENTRETIEN

(cas de couteaux et bocal amovibles)

- Aussitôt après usage, démonter l'ensemble bocal-couteaux, laver et essuyer les pièces, les remonter **sans visser à fond** le bouchon fileté.

- Ne jamais huiler les couteaux; s'ils se bloquaient: les faire nettoyer par le service de réparation du fabricant.

MOUDRE

Ingrédients

Gros sel, sucre, cassonade, céréales entières, café, poivre, épices . . .

Quantité maximum

½ tasse.

Marche à suivre

Déposer l'ingrédient dans le bocal.

Le fermer.

Démarrer à vitesse moyenne, après 2 secondes, passer à vitesse très rapide.

Toutes les 20 secondes, secouer l'appareil latéralement 2 ou 3 fois.

Dès que l'ingrédient est suffisamment moulu, arrêter.

RÂPER

Ingrédients

Zestes de citron ou d'orange en morceaux mélangés avec une quantité égale de sucre granulé.

Fromages durs coupés en morceaux d'un demi-pouce.

Carottes, oignons d'un quart de pouce.

Demi-noix, amandes.

Quantité maximum

½ tasse.

Marche à suivre

Démarrer à vitesse très rapide.

Soulever le couvercle à moitié.

Introduire rapidement l'ingrédient dans le bocal.

Le fermer.

Secouer l'appareil latéralement.

Si les couteaux tournent à vide; arrêter l'appareil, décoller et repousser vers le fond du bocal les ingrédients qui adhèrent contre les parois avec une spatule, puis remettre l'appareil en marche.

Dès que l'ingrédient est râpé, arrêter.

HACHER

Hacher des ingrédients solides dans de l'eau ou des sauces chaudes ou froides.

Ingrédients

Légumes crus ou cuits, viandes cuites en morceaux d'un pouce.

Quantité maximum

Légumes crus ou cuits = 2 tasses.

Viandes cuites = 1 tasse.

Marche à suivre

Verser ½ tasse de liquide dans le bocal.

Ajouter les ingrédients en commençant par le plus tendre, s'il s'agit de plusieurs liquides.

Les recouvrir entièrement de liquide.

Maintenir le couvercle légèrement entrouvert.

Démarrer à la vitesse la plus rapide, compter 3 secondes, arrêter.

Recommencer de la même façon jusqu'à ce que les légumes soient suffisamment hachés.

Si on doit les égoutter, vider le contenu du bocal dans une passoire et la secouer vigoureusement.

RÉDUIRE EN PURÉE
(Ingrédients crus ou cuits avec liquides ou sauces)

Ingrédients crus

Légumes, fruits, poissons, crustacées; en morceaux d'un demi-pouce.

Feuilles, amandes, arachides; entières.

Viandes, chairs de volaille; hachées au moulin à viande.

Ingrédients cuits

Légumes (sauf les pommes de terre), poissons, crustacés, viandes, chairs de volaille; en morceaux d'un pouce et demi.

Quantité maximum

Ingrédients crus = ½ tasse.

Ingrédients cuits = 1 tasse.

Marche à suivre

Verser ¼ de tasse de liquide ou de sauce dans le bocal.

Ajouter les ingrédients solides.

Si les ingrédients sont froids, fermer le bocal.

S'ils sont chauds, le maintenir entrouvert.

Démarrer à la vitesse moyenne; après 5 secondes, passer à la vitesse rapide.

Si les couteaux se mettent à tourner à vide, arrêter.

Mélanger les ingrédients avec une spatule, ajouter 2 à 3 c. à table de liquide.

Démarrer à nouveau.

Dès que les ingrédients sont en purée, arrêter.

LIQUÉFIER

Ingrédients

Fruits, légumes crus ou cuits en morceaux d'un pouce.

Quantité maximum

1 ½ tasse.

Marche à suivre

Réduire les ingrédients en purée (voir: **Réduire en purée**)
Passer à la vitesse moyenne, découvrir le bocal, ajouter éventuellement le liquide requis.
Dès que la préparation est homogène, arrêter.

MÉLANGER

Ingrédients

Liquides, sauces et liquides, purées et liquides froids ou chauds.

Quantité maximum

Selon la capacité du bocal, 3 à 4 tasses.

Marche à suivre

Verser tous les ingrédients dans le bocal.

S'ils sont froids, fermer le bocal; s'ils sont chauds, le maintenir entrouvert.

Démarrer à la vitesse lente; après 2 secondes, passer à la vitesse moyenne.

Dès que la préparation est homogène, arrêter.

FRAPPER

(Réfrigérer une boisson avec de la glace concassée
ou, à défaut, des petits glaçons.)

Ingrédients

Préparations liquides et, dans certains cas, semi-solides.

Quantité maximum

3 tasses.

Marche à suivre

Verser la préparation dans le bocal.
Le fermer.
Démarrer à vitesse lente, passer à vitesse moyenne,
puis à la plus rapide.

Entrouvrir le couvercle et introduire la glace
concassée ou les glaçons en 2 à la fois; attendre avant
d'ajouter la quantité suivante qu'ils soient
presque entièrement liquéfiés.

Dès que la préparation est frappée, arrêter.

DISSOUDRE
DÉLAYER
LIER

Ingrédients

Fécule, facine et beurre, poudre de café, de cacao,
de thé, lait écrémé en poudre.

Quantité maximum

3 tasses.

Marche à suivre

Si la préparation est chaude, ébouillanter le bocal.
Y verser 2 c. à table du liquide.
Ajouter les ingrédients solides.
S'ils sont froids, fermer le bocal; s'ils sont chauds, le maintenir entrouvert.
Démarrer à la vitesse lente; après 2 secondes, ajouter le reste du liquide.
Dès que le ou les ingrédients sont dissous, délayés ou liés, arrêter.

ÉMULSIONNER

Ingrédients

Huile froide, beurre chaud, fondu ou clarifié, œuf ou jaunes d'œufs.

Quantité maximum

1 ¼ tasse.

Marche à suivre

Verser dans le bocal l'œuf ou les jaunes et les assaisonnements.
Démarrer à vitesse lente.
Après 5 secondes: ajouter de 1 à 2 c. à table de gras liquide en le versant en filet.
Dès que la sauce épaissit, passer à la vitesse moyenne.
Ajouter le reste du gras liquide par petite quantité à la fois en passant alternativement après chaque addition de vitesse lente à rapide.
Si la sauce bloque: arrêter l'appareil et mélanger 2 c. à table du gras liquide avec une spatule.
Démarrer à nouveau.
Quand tout le liquide est incorporé, arrêter.

Boissons
et
rafraîchissements

BOISSONS DÉSALTÉRANTES
AUX FRUITS

Proportions pour 4 verres de 10 onces

Citronnade glacée

Selon leur grosseur et leur teneur en jus,
réduire en purée:

1½ à 2 citrons épluchés aux ¾ ou à moitié avec:
2 c. à table d'eau, 4 à 5 c. à table de sucre
granulé, de cassonade ou de miel.

Frapper la préparation avec 8 petits glaçons.

Y mélanger 2½ tasses d'eau naturelle ou pétillante.

Filtrer dans une passoire à trous fins.

Servir aussitôt.

Citronnade chaude

Même procédé que pour la citronnade glacée avec:

1½ à 2½ citrons.

2 c. à table d'eau.

3 à 4 c. à table d'ingrédient sucré.

3¼ tasses d'eau bouillante.

Citronnade émeraude glacée

Même recette que pour la citronnade glacée en ajoutant aux morceaux de citrons:

½ à ¾ de tasse de feuilles de céleri vert, bien tassées.

Orangeade glacée

Même procédé que pour la citronnade glacée avec:

1½ à 2 oranges.

2 c. à table d'eau.

2 à 2½ c. à table d'ingrédient sucré.

8 glaçons.

2½ tasses d'eau.

Orangeade glacée au citron

Même procédé que pour la citronnade glacée avec:

1 orange.

1 citron.

2 c. à table d'eau.

8 glaçons.

2½ tasses d'eau.

Orangeade glacée au pamplemousse

Même recette que pour l'orangeade aux citrons en remplaçant le citron par:

½ pamplemousse épluché à vif.

« Raisinade » glacée

Même procédé que pour la citronnade glacée avec:

3 tasses de grains de raisin rouge ou blanc
(verts).

2 c. à table d'ingrédient sucré.

8 glaçons.

1 ½ tasse d'eau.

« Raisinade » glacée aux pommes

Même recette que pour la « raisinade » glacée en
remplaçant 1 tasse de raisin par:

½ tasse de morceaux de pommes.

« Ananade » glacée

Même procédé que pour la citronnade glacée avec:

2 ½ tasses de morceaux d'ananas frais.

7 c. à table d'ingrédient sucré.

8 glaçons.

2 tasses d'eau.

«Ananade» glacée à la fraise

Même recette que pour l'« ananade » glacée en
remplaçant ½ tasse d'ananas par:

⅔ de tasse de fraises fraîches

ou congelées

dans ce cas, supprimer:

2 c. à table d'ingrédient sucré.

Jus de pommes d'amour

Même procédé que pour la citronnade glacée avec:

6 tomates moyennes, bien mûres, coupées en deux et égouttées.
Sel, sucre, poivre, jus de citron, sauce Worchestershire, Tabasco.
4 glaçons.
¾ de tasse de jus de tomates en boîte.

Facultatif:

1 petit morceau de céleri.
1 rondelle d'oignon.

Jus de fruits congelés

Selon les proportions indiquées dans le mode d'emploi, **liquéfier** le jus congelé avec la quantité d'eau nécessaire pour reconstituer le jus.

Thé et café glacés

Proportions pour 4 verres de 4 onces

Préparer:

1½ tasse de café ou de thé fort.

Mélanger avec:

quelques grains de sel et
2 c. à table de sucre granulé jusqu'à ce qu'il soit froid.

Frapper avec:

4 glaçons.

Fixer 1 rondelle de citron à cheval sur le bord de chaque verre de thé.

Café glacé

Même recette que pour le thé glacé en remplaçant les glaçons par:

des cubes de crème à 35%, congelée.

Thé et café glacés instantanés

Dissoudre:

3 c. à thé de café ou de thé instantané avec:

2 c. à table de sucre granulé dans

½ tasse d'eau bouillante.

Mélanger à vitesse lente jusqu'à ce que la préparation soit froide.

Ajouter:

1 tasse d'eau.

Frapper avec:

8 glaçons.

Granite

Faire fondre partiellement, à feu moyen, dans une casserole:

¾ de tasse de sucre granulé.

⅓ de tasse de fraises congelées et

2 c. à table d'eau.

Y ajouter:

¼ de bouteille de Sauternes et
le zeste (pelure) d'un citron piqué d'un clou de girofle.

(SUITE À LA PAGE 30)

(SUITE DE LA PAGE 29)

Quand le vin se couvre d'une légère écume blanche et atteint le point d'ébullition, retirer la casserole du feu.

Oter le zeste et y faire infuser 2 sachets de thé pendant 10 minutes.

Ajouter:

le jus d'une orange et d'un citron.

Chauffer:

½ tasse de rhum, l'enflammer, le verser dans la préparation.

Lorsqu'elle est froide, la mettre au congélateur pendant 4 heures.

Mettre le bocal au congélateur pendant 30 minutes.

Au moment de servir, frapper rapidement ½ tasse à la fois de cette préparation avec:

4 à 5 glaçons

de façon que ceux-ci se pulvérisent sans fondre, lui donnant une consistance épaisse, légèrement graniteuse.

COCKTAILS

Proportions pour 2 verres de 3 onces

Alexandra

Frapper:

2 mesures de cognac ou brandy.
1½ mesure de crème de cacao.
1 mesure de crème, de préférence à 50%
(très épaisse) à défaut, à 35%.
3 glaçons.

Bacardi

Frapper:

¼ de tasse de jus de limon.
4 mesures de rhum Bacardi.
3 c. à thé de sirop de grenadine.
3 glaçons.

Daiquiri

Frapper:

¼ de tasse de jus de limon.
4 mesures de rhum blanc.
3 glaçons.

Rose

Frapper:

3 mesures de martini « rouge ».
2 mesures de sherry brandy.
3 glaçons.

Tonnerre

Frapper:

1 mesure de brandy.
1 mesure de vermouth blanc.
1 mesure de vodka.
1 mesure de bénédictine.
3 glaçons.

FIZZ

Proportions pour 2 verres de 8 onces

Gin-fizz

Frapper:

3 c. à table de jus de citron.
3 c. à table de sucre à fruits.
4 mesures de gin.
1 blanc d'œuf.

Facultatif:

1 mesure de crème à 35%.
4 glaçons.

Mélanger avec:

½ tasse d'eau de Scltz, de Perrier ou de club soda.

Orange-fizz

Frapper:

⅓ de tasse de jus d'orange.
1 c. à thé de jus de citron.
2 c. à table de sucre granulé.
2 mesures de kirsch.
1 mesure de cointreau.
1 blanc d'œuf.
4 glaçons.

Mélanger avec:

½ tasse d'eau Perrier ou de club soda.

Tom et Jerry

2 œufs entiers.
3 c. à table de sucre granulé.
4 mesures de rye whisky.
1 pointe de cannelle.
1 clou de girofle.

Ajouter:

½ tasse de lait bouillant.

BOISSONS RECONSTITUANTES

LAITS FROIDS ET CHAUDS
(Ne jamais servir le lait glacé)

Proportions pour 4 verres ou tasses
de 6 onces

Lait au miel et citron

Râper:

le zeste d'un citron avec
2 c. à table de sucre granulé.

Mélanger avec:

3 c. à table de miel et
3½ tasses de lait très froid ou bouillant.

Lait malté

Dissoudre:

3 c. à table de malt.
3 c. à table de sucre granulé.
½ tasse de lait tiède.

Mélanger avec:

2 tasses de lait froid ou bouillant.

Lait au rhum ou au cognac

Dissoudre:

3 c. à table de sucre granulé.
½ tasse de lait tiède.

Mélanger avec:

1½ tasse de lait froid ou bouillant.
¼ de tasse de rhum ou de cognac froid ou flambé.

Chocolat au lait

Dissoudre:

4 c. à table de poudre de chocolat amer.

4 c. à table de sucre granulé.

4 c. à table d'eau chaude.

Mélanger avec:

2¼ tasses de lait froid ou bouillant.

Chocolat madrilène

Dissoudre:

4 onces de chocolat en barre semi-sucré.

⅛ de c. à thé de canelle.

1 c. à thé de fécule de maïs.

Mélanger avec:

1 tasse d'eau ou de lait bouillant.

Faire mijoter pendant 1 minute.

Café au lait à la française

Mélanger:

1½ tasse de café filtre fort, très chaud.

2½ c. à table de sucre granulé.

½ tasse d'eau bouillante. .

Café au lait instantané

Dissoudre:

4 c. à thé de café instantané.

2 c. à table de sucre granulé.

½ tasse d'eau bouillante.

Mélanger avec:

1 ¼ tasse d'eau bouillante.

Servir, à part:

1 pot de crème à 15%.

LAITS AUX FRUITS FRAIS

Proportions pour 4 verres de 6 onces

Lait à la banane

Réduire en purée:

½ à ⅓ de tasse de rondelles de banane épluchée.

2 c. à table de sucre granulé ou de cassonade.

¾ de tasse de lait froid.

Facultatif:

1 pincée de sel et
6 gouttes de vanille.

Mélanger avec:

2 tasses de lait froid.

Lait à la banane et aux fraises

Même recette que pour le lait à la banane en remplaçant la moitié des bananes par des fraises fraîches.

Lait aux fraises

Même procédé que pour le lait à la banane avec:

1 tasse de fraises fraîches.

4 à 5 c. à table de sucre granulé (selon l'acidité des fraises).

1 pincée de sel.

½ tasse de lait froid.

1¾ tasse de lait froid.

Lait aux pêches ou aux abricots

Même procédé que pour le lait à la banane avec:

¾ de tasse de quartiers de pêches ou de demi-abricots.

3 c. à table de sucre granulé ou de cassonade.

1 pincée de sel.

¾ de tasse de lait froid.

1½ à 1¾ tasse de lait froid.

Lait d'amande au kirsch et aux pétales de rose

Frapper:

2 tasses de lait d'amande.

2 c. à thé de sucre granulé.

8 glaçons.

½ tasse de kirsch.

¼ de tasse de pétales de roses roses.

Servir avec:

2 pétales de rose sur chaque verre.

Yogourt aux fruits frais

Proportions pour 4 verres de 6 onces

Réduire en purée:

avec:1 tasse d'un fruit ou d'un mélange de fruits sucrés ou semi-acides, dans des proportions dictées par le goût, avec:

4 à 6 c. à table de sucre granulé ou de cassonade.

3 yogourts nature.

LAITS BATTUS AUX JAUNES D'OEUFS
(Egg Noggs)

Proportions pour 4 verres de 6 onces

Remarque: Demander au médecin si le blanc d'œuf cru n'est pas contre-indiqué.

Battue à la vanille

Délayer:

4 très gros jaunes d'œufs crus

ou

2 très gros œufs entiers.

1/8 de c. à thé d'extrait de vanille.

3 à 4 c. à table de sucre granulé ou de cassonade ou de miel dans:

1/2 tasse de lait froid ou bouillant.

Mélanger avec:

1 1/2 tasse ou 1 3/4 tasse de lait froid ou bouillant.

Battue au sirop d'érable

Mêmc recette que pour la battue à la vanille en remplaçant la vanille et le sucre par:

du sirop d'érable.

Battue au rhum, au brandy, au cognac ou à l'armagnac

Même procédé que pour la battue à la vanille avec:

6 jaunes d'œufs.

3 c. à table de sucre granulé.

½ tasse de lait bouillant.

¾ de tasse de lait bouillant.

4 onces de rhum, de brandy, de cognac ou d'armagnac.

Lait à la crème glacée
(milk shake)

Proportions pour 3 verres de 6 onces

Mélanger par petite quantité:

2 demiards (2½ tasses) de crème glacée à l'essence préférée dans 1½ tasse de lait.

Soda à la crème glacée

Même recette que pour le lait à la crème glacée en remplaçant le lait par:

de l'eau de Seltz, de Perrier ou de club soda.

PETITS DÉJEUNERS LIQUIDES

Proportions pour 1 verre de 8 onces

Aux fruits frais

Réduire en purée:

½ tasse des fruits sucrés préférés.
(pêche, melon, banane).
1 c. à table de sucre granulé ou de cassonade.
2 c. à table de lait.
1 c. à thé de germe de blé frais.

Mélanger avec:

1 jaune d'œuf.
½ tasse de lait bouillant.

Au gruau

Mélanger:

½ tasse de gruau d'avoine cuit.
1 jaune d'œuf.
1 c. à table de cassonade.
1 c. à thé de germe de blé cru frais.
⅓ de tasse de lait bouillant.

Au yogourt

Mélanger:

1 c. à thé de germe de blé cru frais.
¼ de tasse de pêche, abricot ou banane.
1 c. à table de sucre granulé.
1 yogourt naturel.

Sauces froides

Sauce vinaigrette

Proportions pour 1 tasse

Mélanger:

¼ de c. à thé de sel.

⅛ de c. à thé de poivre moulu.

⅓ de tasse de vinaigre ou de jus de citron.

Mélanger:

¼ de c. à thé de sel.

⅛ de c. à thé de poivre moulu.

⅓ de tasse de vinaigre ou de jus de citron.

Facultatif:

⅔ de c. à thé de moutarde forte française

ou à défaut,

⅓ de c. à thé de moutarde sèche.

⅔ de tasse d'huile végétale.

Vinaigrette aux herbes

Hacher:

dans 1 tasse de vinaigrette

½ tasse, bien tassée, d'égales parties de feuilles de persil, de cerfeuil, de ciboulette et d'estragon frais.

Sauce ravigote

Incorporer:

dans 1 tasse de vinaigrette aux herbes

2 c. à table de câpres au vinaigre bien égouttées.

Vinaigrette à l'oignon

Hacher:

dans 1 tasse de sauce vinaigrette
1 c. à table d'oignon.

Vinaigrette aux œufs durs

Couper:

1 œuf dur en petits morceaux.

L'incorporer délicatement à:

¾ de tasse de vinaigrette aux herbes.

Vinaigrette aux oignons verts
(échalotes)

Hacher:

dans 1 tasse de vinaigrette.
1 c. à table d'oignon vert.
3 c à table de feuilles de persil frais.
3 c. à table de feuilles de persil frais.

Vinaigrette aux échalotes sèches
(rouges)

Hacher:

dans 1 tasse de vinaigrette.
¼ de tasse d'échalotes sèches coupées en deux.
¼ de tasse de feuilles de persil frais.

Vinaigrette aux poivrons

Hacher:

dans 1 tasse de vinaigrette.

1/16 de poivron rouge ou vert cru.

1 c. à table d'oignon.

Mayonnaise

Emulsionner:

1¼ tasse d'huile à température de la cuisine.

1 œuf entier à la température de la pièce.

¼ c. à thé de moutarde.

1 c. à thé de vinaigre de vin ou de jus de citron.

⅕ de c. à thé de sel.

⅛ de c. à thé de poivre blanc.

Sauce andalouse

Mélanger:

¼ de tasse de purée de tomate fraîche (page 110) avec ¾ de tasse de sauce mayonnaise.

Incorporer délicatement à la main dans la sauce:

¼ de tasse de julienne de poivron rouge rissolée avec:

1 c. à table d'huile.

Sauce Chantilly

Fouetter au malaxeur ou à la main:

¼ de tasse de crème à 35% bien froide.

L'incorporer délicatement à la main dans:

½ tasse de sauce mayonnaise.

Rectifier l'assaisonnement.

Mayonnaise au raifort

Réduire en purée

1 c. à table de raifort.
dans ⅓ de tasse de sauce mayonnaise.

Mélanger:

⅔ de tasse de mayonnaise.
½ c. à thé de moutarde forte française

ou

¼ de c. à thé de moutarde sèche.

Sauce remoulade

Hacher:

½ tasse de sauce mayonnaise.
2 c. à table de cornichons.
1 c. à table de câpres au vinaigre, bien égouttées.
¼ de tasse, également réparti, de feuilles de persil,
de cerfeuil et d'estragon frais, bien tassées.

Mélanger avec:

½ tasse de sauce mayonnaise.

Sauce russe

Réduire en purée:

2 c. à table de parties crémeuses de homard cuit au court-bouillon et

2 c. à table d'excellent caviar dans

⅓ de tasse de sauce mayonnaise.

Mélanger avec:

⅔ de tasse de sauce mayonnaise.

½ c. à thé de moutarde forte française

ou

¼ de c. à thé de moutarde sèche et

½ c. à thé de sauce Derby.

Salades
et
hors-d'oeuvre

SALADES

Salade de tomates

Proportions pour 4 portions

Couper:
4 belles tomates, mûres à point, en tranches minces.

Les placer à cheval les unes sur les autres dans un ravier.

Saler et poivrer.

Arroser avec 4 c. à table de sauce vinaigrette.

Décorer avec du persil frais haché.

Salade de poivron vert

Couper:
1½ poivron en 4.

Le vider et l'émincer finement.

Poivrer.

Mélanger à la main avec 2 c. à table de sauce vinaigrette.

Décorer avec du persil frais haché.

Salade de tomates au poivron vert

Couper:

2 belles tomates en tranches minces.

Les placer à cheval, les unes sur les autres, dans un ravier ou une assiette.

Saler et poivrer.

Les flanquer ou les recouvrir avec:

¾ de poivron finement émincé.

Les arroser de 4 c. à table de vinaigrette.

Décorer avec du persil haché.

Facultatif:

1 c. à table d'oignon très finement émincé

ou

8 rouelles d'oignons.

Salade au chou

1 tasse de chou finement émincé.

Saler et poivrer.

Assaisonner avec 3 c. à table de vinaigrette

ou

4 c. à table de mayonnaise légère.

Décorer avec du persil frais haché.

Facultatif:

carotte râpée.

Salade de concombre

Eplucher 2 concombres, les couper en 2 dans le sens de la longueur, enlever les pépins, les émincer.

Les saler généreusement.

Les laisser dégorger pendant 6 heures au congélateur.
Les égoutter en les pressant fortement contre le fond d'une passoire.

Les assaisonner de 3 c. à table de vinaigrette.
Décorer avec poivre et persil frais haché.

Présenter dans un ravier ou une assiette.

Salade niçoise

Dresser en dôme au centre d'un saladier:

⅓ de tasse de haricots verts cuits et tout autour
⅓ de tasse de pommes de terre.

Assaisonner avec sel, poivre et
3 c. à table de vinaigrette.

Déposer sur les pommes de terre:

4 filets d'anchois à l'huile coupés en 2 dans le sens de la longueur.

Tout autour en les faisant alterner:

4 quartiers de tomate.
4 c. à table de julienne de poivron vert.
4 c. à table de thon à l'huile en boîte.

Border de 16 petites olives noires.

Avant de servir arroser les tomates et les piments avec:

2 c. à table de vinaigrette.

Décorer avec du persil frais haché.

Salade de céleri-rave remoulade

Assaisonner 1 tasse de julienne de céleri-rave avec:

2 c. à thé de jus de citron.

Sel et poivre.

¼ de tasse de sauce mayonnaise épaisse additionnée de:

1 c. à thé de moutarde française forte.

Dresser sur un petit saladier.

Décorer avec du persil frais haché.

Salade de champignons crus

Assaisonner 1 tasse de champignons crus émincés
avec:

2 c. à thé de jus de citron.

Sel, poivre.

2 c. à table de vinaigrette

ou

3 c. à table de sauce mayonnaise épaisse.

Facultatif:

Ail écrasé, oignon haché, thym.

Décorer avec du persil frais haché ou des dés de
poivron rouge.

SALADES CUITES

Salade de pommes de terre

Assaisonner 1 tasse de dés de pomme de terre cuite
encore un peu tiède avec:

sel, poivre.

⅓ de tasse de sauce vinaigrette

ou

de sauce mayonnaise très légère.

Facultatif:

2 c. à thé d'oignon haché.
1 gousse d'ail hachée.
Dés de poulet cuit, crevettes, homard, etc.

Décorer avec du persil frais haché.

Salade de haricots verts

Même recette que pour la salade de pomme de terre en
remplaçant les pommes de terre par:

1 tasse de haricots verts cuits à l'eau ou à la vapeur
à « basse pression ».

Salade de chou-fleur

Disposer sur un ravier ou dans un saladier:

½ tasse de chou-fleur cuit, séparé en bouquets.
Sel et poivre.

Arroser avec ⅓ à ½ tasse de sauce vinaigrette

ou napper avec:

½ tasse de sauce mayonnaise légère.

Décorer avec: persil frais haché, petits dés de poivron
ou des rouelles de petits oignons.

Salade de poireaux

Plier en 3 et ranger, côte à côte, sur un ravier:

4 petits poireaux cuits à l'eau ou à la vapeur « à basse pression ».

Arroser avec 5 à 6 c. à table de vinaigrette

ou

6 à 7 c. à table de mayonnaise très légère.

Décorer avec du persil frais haché.

Facultatif:

1 œuf dur concassé.

SALADE AU RIZ

(Riz bouilli, bien égoutté)

(Pouvant également se servir comme légume)

Salade bergerette

Mélanger, avec une cuiller, dans un bol:

1 tasse de riz.

Sel et poivre.

1 c. à thé de raifort râpé.

2 c. à thé de jus de citron.

½ c. à thé de moutarde.

2 c. à table de mayonnaise épaisse additionnée de:

1 c. à table de crème à 35%.

Garnitures facultatives:

Poulet, crevettes, homard, etc.

Dresser au centre d'un petit saladier.

Décorer avec du persil frais haché.

CRUDITÉS FARCIES
FARCES À LA MAYONNAISE

Ces farces peuvent servir à remplir: des tomates, des concombres crus, des demi-œufs durs, des fonds d'artichauts cuits et des cornets de jambon.

Proportions pour 1 tasse

Réduire en purée avec:

¼ de tasse de sauce mayonnaise très ferme.

¾ de tasse des ingrédients suivants, cuits et bien froids:

> Jambon.
> Poulet.
> Dinde, gibier.
> Jaune d'œuf dur.
> Saumon.
> Aiglefin.
> Flétan, sole.
> Homard.
> Crevette, crabe.

Saler, poivrer.

Ajouter selon le cas:

Persil, ciboulette, estragon, cerfeuil frais haché.

Remplir l'élément choisi d'une de ces farces, à l'aide d'un sac à décorer muni d'une douille en étoile de ¼ de pouce de diamètre.

FARCES AU BEURRE

Ces farces servent à garnir: les canapés, les sandwiches, les petits pains français.

Proportions pour ½ tasse

Réduire en purée avec:

1 ½ à 2 c. à table de beurre, selon la teneur en gras et 1 pointe de cayenne.
5 à 6 c. à table d'un des ingrédients cuits et bien froids suivants:

> Filets d'anchois à l'huile.
> Sardines à l'huile.
> Thon à l'huile.
> Sole.
> Saumon frais, truite.
> Jambon cuit.
> Pâté de foie gras.
> Rillettes.
> Poulet.
> Canard.
> Gibier.
> Homard.
> Crevettes, crabe.
> Camembert, brie.
> Roquefort.
> Bleu danois, gorgonzola etc.
> Poivron rouge cuit.

Préparation des canapés

Couper des tranches de pain à sandwich d'environ 3/16 de pouce d'épaisseur.

Les faire rôtir sur une tôle à pâtisserie beurrée placée sur la grille à l'étage du centre dans un four chauffé à 450°F.

Les empiler.

Lorsqu'elles sont froides, les beurrer légèrement.

Les découper en carré de 1 pouce, en rectangle de 1½ pouce sur ¾ de pouce, en rondelle de 1 pouce de diamètre ou en losange de 1¾ de pouce sur ½ pouce.

Les garnir avec la farce au beurre choisie, à l'aide d'un sac à décorer muni d'une douille en étoile de ⅓ de pouce de diamètre.

Placer une grille sur une tôle à pâtisserie.

Ranger les canapés sur cette grille.

Faire refroidir au réfrigérateur pendant 30 minutes.

Les lustrer, à l'aide d'un petit pinceau, de gelée blanche fondue sur le point de se figer.

Les disposer sur un plateau recouvert d'un napperon.

Les agrémenter de feuilles de persil frisé.

Facultatif: décorer chaque canapé avec des feuilles d'herbes aromatiques, rondelles de radis etc...

Cretons

Proportions pour 16 portions (2 tasses)

Couper:

2 livres de lard gras frais en dés.

Les faire fondre avec:

1 c. à table d'eau

dans une casserole sur un feu à température « moyenne ».

Eliminer la moitié du lard fondu.

Elever la température.

Remuer, de temps en temps, jusqu'à ce que les lardons soient dorés et croustillants.

Laisser refroidir jusqu'à ce qu'ils soient tièdes.

Hacher avec:

2 gousses d'ail.

Sel et poivre.

Fouetter au malaxeur jusqu'à ce que les cretons refroidissent à température normale.

Verser dans de petits bols de grès ou de verre.

Conserver, au réfrigérateur, pendant 24 heures avant de servir.

Variation: quand les lardons sont croustillants, ajouter et faire rissoler:

4 foies de poulet, coupés en 4, pendant 1½ minute.

Rillettes de porc à la mode de Tours

Proportions pour 24 portions

Couper en morceaux d'un pouce:

> 2 livres de cou de porc frais, entrelardé et
> désossé.

Les frotter avec du gros sel et les en recouvrir.
Laisser au réfrigérateur pendant 24 heures.
Les laver à l'eau froide.
Les mettre dans une casserole d'une pinte, à fond épais
avec:

> ½ tasse de vin blanc sec ou
> ½ tasse d'eau
> 2 c. à thé de jus de citron.

Facultatif: ajouter au choix:

> 3 gousses d'ail.
> ½ oignon moyen piqué d'un clou de girofle que
> l'on retire ensuite.
> ½ feuille de laurier.

Amener à ébullition.
Couvrir la casserole et faire cuire sur un feu à température
« moyenne basse » pendant 1¾ heure.
Hacher grossièrement cette préparation en 2 ou 3 fois
puis la fouetter lentement (au malaxeur) jusqu'à ce qu'elle
soit presque froide.
Rectifier l'assaisonnement.
La verser dans des petits pots de grès ou de verre, en les
remplissant jusqu'à ¼ de pouce du bord.
Laisser refroidir.
Recouvrir et remplir chaque pot avec:

> du saindoux fondu.

Conserver au réfrigérateur, pendant au moins 48 heures,
avant de servir.

Pâté de foie de poulet instantané

Mesurer:

½ tasse de morceaux de foie de poulet et

½ tasse de petits dés de lard frais, gras, salé.

Faire fondre le lard avec:

1 c. à thé d'eau.

Dans une grande poêle, sur un feu à température
« moyenne » en remuant de temps en temps.

Dès qu'il est fondu, régler le feu à haute température, saler,
poivrer, faire revenir le foie pendant 1½ minute en
remuant constamment avec:

1 c. à table d'oignon haché.

Transvaser dans le bocal du blender.

Ajouter:

2 c. à table de consommé de bœuf en boîte et

1 filet de jus de citron.

Réduire en purée.

Vider dans un bol en verre.

Conserver au réfrigérateur.

Attendre 24 heures avant de servir.

HORS-D'OEUVRE CHAUDS

Croissants au jambon

Proportions pour 24 croissants

Réduire en purée:

½ livre de dés de jambon semi-cuit.

2 c. à table de xérès.

¼ de tasse de crème à 35%.

1 jaune d'œuf cru.

Sel et poivre.

Abaisser uniformément à 3/32 de pouce:

1 livre de pâte feuilletée **ou, à défaut**, brisée.

La découper en triangles de 4 pouces de côté, les ranger côte à côte, les bases vers soi.

Badigeonner chaque triangle d'un peu de dorure.

Déposer 1 c. à table de farce sur chaque triangle de pâte à 1 pouce du centre du bord de la base.

Recouvrir la farce avec le bord de la pâte.

Rouler la pâte.

Ramener les extrémités vers soi de façon à former un croissant.

Déposer les croissants sur une tôle à pâtisserie légèrement humectée d'eau, les badigeonner de dorure.

Cuire au 2e étage du bas du four préalablement chauffé à 425° F, pendant 30 minutes environ.

Petits pâtés

Proportions pour 24 pâtés

Réduire en purée:

¼ de livre de veau ou de chair de cuisse de poulet.

¼ de livre de porc frais entrelardé.

1 c. à thé d'oignon.

1 jaune d'œuf.

1 c. à table de consommé de bœuf.

¼ de c. à thé de jus de citron.

Abaisser uniformément à 3/32 de pouce d'épaisseur:

1 livre de pâte feuilletée **ou, à défaut,** brisée.

Découper en rondelles de 2 ¼ pouces de diamètre.

Les badigeonner avec un peu de dorure. *

Déposer la moitié de ces rondelles à intervalles de 1 pouce sur une tôle à pâtisserie de 12 x 18 légèrement humectée d'eau.

Mettre 1 c. à thé de farce au centre de chaque rondelle.

Les couvrir avec les autres rondelles de pâte.

Badigeonner les pâtés avec un peu de dorure * et inciser leur centre d'une croix.

Faire cuire 30 minutes au 2e étage du four préalablement chauffé à 425° F.

Mini-boulettes à l'indienne

Proportions pour 24 boulettes

Réduire en purée, en 2 fois:

½ livre de bœuf haché bien maigre.

½ c. à table d'oignon.

2 c. à table de poudre de curry.

Sel.

¼ de banane.

1 fragment de feuille de laurier.

2 branches de persil.

2 jaunes d'œufs crus.

½ tasse de crème à 35%.

1½ tranche de pain à sandwich débarrassée de la croûte.

Fariner généreusement une planche à pâtisserie. Diviser la farce en 4 et la déposer sur la planche, saupoudrer chaque tas de farce de farine, les rouler en saucissons de ⅝ de pouce, façonner chaque tronçon en boulette en le roulant entre les paumes des mains farinées.

Faire revenir avec 1 c. à table de beurre ou d'huile, dans une grande poêle, pendant 5 à 6 minutes, en les retournant de temps en temps.

Verser 2 tasses de sauce curry sur les boulettes, couvrir la poêle et régler le feu afin qu'elles mijotent pendant 10 minutes.

Mini-boulettes à l'orientale

Même recette que pour les boulettes à l'indienne en remplaçant le curry par ½ c. à thé de cumin moulu et un peu de cayenne et la sauce curry, par une sauce tomate.

Potages

SOUPES

Proportions pour 4 portions
de 6 à 7 onces

Soupe de légumes printanière

Faire bouillir dans une casserole de une pinte sur
un feu à haute température:

2½ tasses de bouillon de poulet
ou à défaut
¼ de tasse de consommé de bœuf additionné
de ¼ de tasse d'eau.

Saler et poivrer.

Hacher et ajouter:

¼ de tasse de carotte.
¼ de tasse de pomme de terre.
¼ de tasse de céleri.
¼ de tasse de haricots verts.
⅓ tasse de poireau.
1½ c. à table de riz ou d'orge.
1½ tomate coupée en dés.
1 gousse d'ail écrasée.
ou
⅓ de tasse d'oignon.

Quand l'ébullition reprend, ajouter en remuant:

4 c. à table de pâtes alimentaires

Faire cuire lentement, pendant 20 minutes.

(SUITE À LA PAGE 72)

(SUITE DE LA PAGE 71)

Ajouter:

Thym, marjolaine, persil.
½ tasse de feuilles bien tassées et émincées
d'épinard ou de laitue.

Faire cuire pendant 3 minutes.
Servir tel quel ou, au moment de servir, mélanger avec une
louche:

2 c. à table de beurre.

Facultatif: servir séparément:

½ tasse de fromage râpé, gruyère ou canadien fort.
20 minces demi-tranches de pain « français » bien
rassis.

Soupe garbure

Même recette que pour la soupe de légumes printanière en remplaçant les pâtes alimentaires, le
riz ou l'orge par:

¼ de tasse de haricots blancs préalablement cuits
avec
4 onces de lard maigre salé.

Les épinards par:

La même quantité de chou vert frisé émincé.

Soupe minestrone

Même recette que pour la soupe garbure en ajoutant:
¾ de tasse de bouillon.
¼ de tasse de tronçons de spaghettis crus d'un
pouce de long.
1 tomate en morceaux.

Servir séparément:

½ tasse de parmesan râpé.

Soupe aux poireaux et pommes de terre

Même procédé que pour la soupe de légumes printanière avec seulement:

2¼ tasses de bouillon de poulet
(à défaut de bouillon de poulet remplacer par de l'eau).

1 tasse de poireau émincé finement.

¾ de tasse de pomme de terre émincée.

Sel et poivre.

2 c. à table de beurre.

Potage aux poireaux et pommes de terre

Réduire en purée:

1 soupe de poireaux et pommes de terre.

Ajouter:

Du consommé de bœuf et
⅓ de tasse de crème à 35%, ou à 15% ou de lait.

2 c. à table de vermicelle cuit.

Soupe au chou

Faire bouillir lentement pendant 30 minutes:

4 onces de dés de lard maigre salé dans

2¾ tasses de bouillon de poulet

ou

1 boîte de consommé de bœuf et

1½ tasse d'eau.

(SUITE À LA PAGE 74)

(SUITE DE LA PAGE 73)

Hacher ensemble dans de l'eau froide:

⅓ de tasse d'oignon ou de poireau.

⅓ de tasse de pomme de terre.

Egoutter.

Ajouter au bouillon et faire cuire lentement pendant
15 minutes.

Ajouter et faire cuire pendant 5 minutes:

1½ tasse de chou vert émincé.
Poivre.

Dessécher dans le four à 250°F:

20 minces tranches de baguettes de pain
« français ».

Les répartir dans les bols ou les assiettes avec la soupe et
les faire tremper pendant 2 minutes avant de manger.

Soupe à la russe

Même recette que pour la soupe au chou, en remplaçant
le chou par du chou rouge.

Servir séparément:

½ tasse de crème sure.

Soupe à la bûcheronne

Faire tremper:

⅓ de tasse de haricots blancs dans:

1½ tasse d'eau froide pendant 12 heures.

Les égoutter et les cuire avec:

4 onces de dés de lard maigre salé dans:

2¾ tasses de bouillon de poulet

ou

1 boîte de consommé de bœuf et

1½ tasse d'eau.

Hacher dans de l'eau froide et égoutter:

⅓ de tasse de chou-rave.

⅓ de tasse de navet.

⅓ de tasse de pomme de terre.

Les ajouter aux haricots dès que ceux-ci sont presque cuits.

Faire mijoter, pendant 25 minutes.

Poivrer.

Répartir dans les assiettes ou bols à soupe avec:

20 minces demi-tranches de pain « français » rassis
et la soupe.

Soupe à l'oignon gratinée

Hacher dans de l'eau froide et bien égoutter:

2½ tasses d'oignons.

Faire cuire avec 2 c. à table de beurre ou d'huile dans une casserole épaisse d'une pinte, couverte, sur un feu à température « moyenne » en remuant de temps en temps.

Découvrir la casserole et élever la température à « moyenne haute ».

Racler souvent le fond de la casserole.

(SUITE À LA PAGE 76)

(SUITE DE LA PAGE 75)

Dès que les oignons sont bien colorés, ajouter:

> 1 gousse d'ail écrasée.
>
> ½ tasse de vin blanc.
>
> **ou**
>
> ½ tasse de consommé de bœuf en boîte additionnée de ½ c. à thé de jus de citron.

Faire bouillir vivement jusqu'à ce que le liquide diminue de moitié.

Ajouter:

> 1 boîte de consommé de bœuf et
> 1 ¼ tasse d'eau bouillante.

Saler.

Faire mijoter pendant 20 minutes.

Poivrer.

Allumer et régler le four à 450° F.

Faire rôtir à l'étage supérieur sur une tôle à pâtisserie enduite de beurre:

> 16 demi-tranches de ¼ de pouce d'épaisseur de pain « français ».

Les répartir dans des bols à soupe à l'oignon avec:

> ½ tasse de gruyère
>
> ou, à défaut,
>
> de canadien fort râpé
>
> et la soupe à l'oignon.

Saupoudrer la soupe avec:

> ¼ de tasse de fromage râpé.

Asperger avec:

Quelques gouttes de beurre fondu.

Régler le four à 500° F.

Faire gratiner les soupes à l'étage supérieur du four.

Remarque: si les bols à soupe ne sont pas très épais, les placer sur une tôle à pâtisserie à demi remplie d'eau.

Soupe à l'ail

Faire bouillir:

2¾ tasses d'eau dans une casserole d'une pinte.

Réduire en purée:

8 gousses d'ail.

¼ de clou de girofle.

⅛ de c. à thé de sauge avec:

¼ de tasse d'eau tiède.

2 c. à table d'huile d'olive.

Sel et poivre.

Verser cette purée dans l'eau bouillante.

Faire bouillir lentement pendant 15 minutes.

Allumer et régler le four à 350° F.

Couper, beurrer et saupoudrer de gruyère ou canadien fort râpé et disposer côte à côte sur une tôle à pâtisserie:

16 demi-tranches de pain « français ».

Les faire rôtir à l'étage supérieur du four jusqu'à ce que le fromage soit fondu.

Les répartir dans les assiettes ou les bols avec la soupe et les arroser d'un filet d'huile d'olive.

Soupe aux clovisses (clams)

Préparer 1 soupe printanière, sans feuilles vertes
ni haricots verts, ni pâtes alimentaires.

A mi-cuisson y ajouter 1 once de lard gras salé en
dés, revenu à feu moyen dans une petite poêle, et
¾ de tasse de clovisses coupées en petits morceaux.

Poursuivre la cuisson.

Au moment de servir, ajouter:

1 c. à thé de persil frais haché.

Potage purée printanier

Réduire en purée:

1 soupe de légumes printanière.

Ajouter la quantité nécessaire de bouillon ou de crème
pour obtenir la consistance désirée.

Facultatif: servir séparément des dés de pain rôtis au
beurre.

Potage purée minestrone

Réduire en purée une soupe minestrone.

Ajouter la quantité nécessaire de bouillon pour obtenir la
consistance désirée.

Vichyssoise

Préparer une soupe aux poireaux et pommes de terre en diminuant la quantité de pommes de terre de moitié.

Laisser refroidir; dès qu'elle est tiède la mettre au réfrigérateur.

Au moment de servir, ajouter et mélanger:

¾ de tasse de crème à 35% ou à 15%.

Facultatif: ciboulette ou persil frais haché.

Potage purée au cresson

Cuire dans de l'eau légèrement salée:

¾ de tasse de pomme de terre coupée en gros morceaux.

½ tasse d'oignon ou de poireau émincé finement.

Faire bouillir séparément:

2½ tasses de lait.

Dès que les légumes sont cuits les égoutter, les **réduire en purée** avec le lait bouillant.

Ajouter:

¾ de tasse de feuilles de cresson bien tassées.

Sel et poivre.

Facultatif: avant de servir, hors du feu, incorporer: 1 à 2 c. à table de beurre doux.

Variation: On peut remplacer le cresson par la même quantité d'épinard, d'oseille, de laitue ou de céleri vert émincé.

Potage à l'oignon

Réduire en purée:
1 soupe à l'oignon.

Servir séparément:
20 minces tranches de baguette de pain « français »
beurrées généreusement, saupoudrées de fromage
de gruyère râpé et gratinées à l'étage supérieur du four à
475° F.

Potage purée aux petits pois

Faire cuire:

2 onces de dés de lard maigre salé dans
1 tasse de consommé de bœuf en boîte et
2 tasses d'eau.

Hacher dans de l'eau froide, égoutter, ajouter au liquide
bouillant et faire cuire pendant 10 minutes:

⅓ de tasse de carotte.
⅓ de tasse d'oignon.

Ajouter et faire bouillir lentement pendant 15 minutes:

½ tasse de petits pois verts frais ou à défaut congelés.
Sel et poivre.
Thym.

S'il s'agit de petits pois congelés, faire cuire pendant
6 minutes seulement.

Réduire en purée.

Avant de servir, hors du feu, incorporer:

2 c. à table de beurre.

Servir à part:

½ tasse de petits dés de pain rôtis au beurre.

Potage Longchamps

Ajouter à un potage purée aux petits pois:

¼ de tasse de vermicelle cuit séparément dans

¼ de tasse de consommé de bœuf et

¼ de tasse d'eau.

Potage purée au haricot vert

Même recette que pour le potage purée aux petits pois en remplaçant les petits pois par:

½ tasse de haricots verts crus ou cuits.

¼ de tasse de dés de pomme de terre crus ou cuits.

Potage purée au chou-fleur

Même recette que pour le potage purée aux petits pois en remplaçant les petits pois par:

½ tasse de chou-fleur cru ou cuit.

¼ de tasse de dés de pomme de terre crus ou cuits.

Potage purée à la carotte

Même recette que pour le potage purée aux petits pois en remplaçant les petits pois par:

¾ de tasse de carotte émincée.

Potage à la purée de citrouille

Même recette que pour le potage purée aux petits pois, en remplaçant l'eau ou le bouillon par la même quantité de lait et les petits pois par:

½ à ¾ de tasse de morceaux de citrouille.

Potage purée aux herbes

Même recette que pour le potage purée aux petits pois en remplaçant les petits pois par:

½ tasse de morceaux de pommes de terre et en ajoutant au moment de les **réduire en purée:**

½ tasse bien tassée d'oseille,
à défaut d'épinard.
½ tasse de cresson.
¼ de tasse de persil.

Au moment de servir, hors du feu, incorporer:

4 c. à table de beurre doux.

Potage purée Québec
(haricots blancs)

Tremper pendant 12 heures:

⅓ de tasse de haricots blancs dans
1½ tasse d'eau froide.

Faire cuire et égoutter pendant 1½ heure dans:

1 tasse de consommé de bœuf en boîte et
2½ tasses d'eau.

Ajouter:

1 carotte en morceaux.
1 petit oignon.
½ feuille de laurier.
¼ de c. à thé de thym.
Sel, poivre, sariette.

Faire cuire lentement pendant encore 30 minutes.

Réduire en purée.

Avant de servir, hors du feu, incorporer:

3 c. à table de beurre.

Servir séparément:

½ tasse de petits dés de pain rôtis au beurre.

Facultatif: faire cuire 2 onces de jambon cru maigre avec les haricots blancs.

Potage purée aux lentilles

Même recette que pour la purée Québec en remplaçant les haricots blancs par:

½ tasse de lentilles.

Gaspacho
(potage purée de crudités servi froid)

Réduire en purée avec ¼ de tasse d'eau froide:

3 gousses d'ail.

½ tranche d'oignon.

½ c. à thé de basilic.

½ branche de persil frais.

3 c. à table d'huile.

2 tranches de pain à sandwich débarrassées de leur croûte.

⅛ de tasse de poivron rouge ou vert.

½ tasse de concombre épluché dont on a enlevé les pépins.

1½ tasse de dés de tomates, bien mûres, ébouillantées, rafraîchies à l'eau très froide, épluchées.

Râper la préparation avec 4 glaçons.

(SUITE À LA PAGE 84)

(SUITE DE LA PAGE 83)

Mélanger dans le potage:

1 à 1½ c. à table de vinaigre de vin ou de jus de citron.

½ tasse d'eau et

¾ de tasse de consommé de bœuf en boîte très froid.

Saler et poivrer.

CRÈMES

Crème de champignons

Proportions pour 4 portions
de 6 à 7 onces

Préparer 2 tasses de sauce blanche légère sans cuisson (page 92).

Réduire en purée dans cette sauce bouillante, en 2 fois:

1½ tasse de champignons crus.

Ajouter:

½ tasse de bouillon de poulet bouillant.

Sel et poivre.

Amener à ébullition en remuant constamment.

Avant de servir, hors du feu, ajouter:

⅓ de tasse de crème à 35% ou à 15%.

1 filet de jus de citron.

Garniture facultative:

¼ de tasse de dés de champignons crus rissolés au beurre.

ou

¼ de poitrine de poulet cru en dés rissolés au beurre

avec:

Sel et poivre.

1 filet de jus de citron.

84

Crème d'asperges
(cuisson facultative)

Même procédé que pour la crème de champignons avec les ingrédients suivants:

2 tasses de sauce blanche de consistance légère.

¾ de tasse de pointes d'asperges cuites.

¼ de tasse de bouillon de poulet.

⅓ de tasse de crème à 35% ou à 15%.

Crème de chou-fleur

Même recette que pour la crème de champignons en remplaçant les champignons par:

¾ de tasse de chou-fleur cuit.

Crème de haricots verts

Même procédé que pour la crème de champignons en remplaçant les champignons par:

¾ de tasse de haricots verts cuits.

Crème de carottes

Même procédé que pour la crème de champignons en remplaçant les champignons par:

¾ de tasse de carotte cuite et en ajoutant

¼ de c. à thé de sucre.

Crème de laitue

Préparer 2 tasses de sauce blanche de consistance légère. (Cuisson facultative)

Réduire en purée dans cette sauce, en 2 fois:

1 laitue « Boston » bouillie dans de l'eau salée pendant 1 minute, rafraîchie et bien essorée.

Saler et poivrer.

Remuer.

Crème d'épinards

Même recette que pour la crème de laitue en remplaçant la laitue par:

Environ ½ paquet d'épinards crus équeutés.

Crème de tomates

Mélanger:

1 ¾ tasse de sauce blanche légère.
(Cuisson facultative)
¾ de tasse de sauce tomate fraîche (page 110)
½ tasse de crème à 35% ou à 15%.

Crème de blé vert à la Cérès

Faire cuire lentement pendant 3 heures:

4 onces de blé vert dans:

1 ½ tasse d'eau et

1 ¼ tasse de consommé de bœuf, en boîte.

Sel et poivre.

Réduire en purée.

Mélanger avec:

⅓ de tasse de lait et

⅓ de tasse de crème à 35% ou à 15%.

Crème d'orge

Même recette que pour la crème de blé vert en remplaçant le blé vert par:

de l'orge perlé.

Bisque instantanée

Préparer 2 tasses de sauce blanche de consistance légère.

(Cuisson facultative, page 92)

Réduire en purée dans ½ tasse de cette sauce:

¾ de tasse de crevettes ou de homard cuits.

Mélanger avec:

Le reste de la sauce et

⅓ à ½ tasse de crème à 35% ou à 15%.

Facultatif:

2 c. à table de cognac flambé.

¼ de tasse de petits dés de crevettes

ou

de homard cuit.

Sauces chaudes

SAUCES BLANCHES

Accompagnement de légumes, pâtes alimentaires, œufs durs, poissons, volailles cuites.

Lait ou bouillons blancs liés avec un beurre manié: mélange d'un égal volume de beurre et de farine « tout usage » crue.

Proportions de farine et de beurre requises pour épaissir

1 tasse de liquide bouillant:

CONSISTANCE	FARINE	BEURRE
Légère	1½ c. à table à	1½ c. à table à
Moyenne	mesurer	mesurer
Epaisse	2 c. à table	2 c. à table
	2½ c. à table	2½ c. à table

Procédé de préparation (liaison)

Avec un blender dont le bocal est réchauffé à la température de l'eau bouillante, toute sauce s'obtient instantanément par simple mélange des ingrédients à condition que le liquide soit bouillant.

Comme la farine n'est pas cuite, il faudra cuire ces sauces pour pouvoir les utiliser dans l'alimentation des bébés, des vieillards ou des personnes atteintes de maladies intestinales.

Méthode de cuisson

Après avoir lié la sauce, la transvaser dans une petite casserole.

L'amener à ébullition sur un feu à température « moyenne » en la remuant et en raclant continuellement le fond de la casserole avec une spatule ou cuiller en bois.

La faire mijoter pendant 10 minutes en la remuant de temps en temps.

RECETTES

Proportions pour 1 ¼ tasse (6 portions)
de consistance moyenne

Sauce blanche

Faire bouillir:

1 tasse de lait.

Sel, poivre, muscade râpée.

Lier avec:

2 c. à table de beurre.

2 c. à table de farine « tout usage ».

Cuisson facultative: 10 minutes.

Sauce crème

Même recette que pour la sauce blanche en remplaçant ⅓ de tasse de lait par de la crème à 35 %
ou 15 %.

Cuisson facultative.

Sauce béchamel

Faire cuire dans une petite casserole couverte sur
un feu à température « moyenne basse »:

2 c. à table d'oignon émincé avec

1 c. à thé de beurre.

2 c. à thé d'eau.

Ajouter et faire bouillir:

1 tasse de lait.

Sel, poivre, muscade râpée.

Lier avec:

2 c. à table de beurre.

2 c. à table de farine « tout usage ».

Cuisson facultative: 10 minutes.

Sauce au fromage

Ajouter et mélanger délicatement à la spatule à:

1¼ tasse de sauce blanche.

2 c. à table de gruyère.

2 c. à table de parmesan râpé.

Sauce mornay au lait

Lier:

1¼ tasse de sauce blanche avec

1 jaune d'œuf délayé dans

2 c. à table de crème à 35%, à 15% ou de lait froid.

Ajouter et mélanger délicatement à la main:

2 c. à table de gruyère.

2 c. à table de parmesan râpé.

Sauce écossaise
(œufs durs et poulet seulement)

Hacher dans:

1¼ tasse de sauce crème dès qu'elle est liée.

¾ de tasse de carotte, oignon, céleri vert crus en égales quantités.

Faire mijoter pendant 15 minutes.

Sauce suprême
(poulet)

Faire mijoter pendant 10 minutes dans une petite casserole couverte:

1 tasse de bouillon de poulet.

¼ de tasse de vin blanc sec.

½ tasse de queues de champignons crus.

Ajouter et faire bouillir:

½ tasse de crème à 35%.

Lier avec:

1½ c. à table de beurre et

1½ c. à table de farine.

Filtrer dans une passoire à trous fins.

Faire cuire pendant 12 minutes.

Terminer avec:

1 filet de jus de citron.

Sauce parisienne

Amener 1 sauce suprême à ébullition.

Lier avec:

1 jaune d'œuf délayé dans

2 c. à table de crème à 35% froide.

L'amener à nouveau à ébullition à feu « moyen » et la faire bouillir pendant 10 secondes, en raclant continuellement le fond de la casserole avec une spatule en bois.

La filtrer aussitôt dans une passoire à trous fins.

Ne plus la faire bouillir.

Sauce au beurre
(asperges — poissons cuits au court-bouillon)

Faire bouillir:

1 tasse d'eau

ou

1 tasse de bouillon de poisson.

Saler et poivrer.

Lier avec:

1 c. à table de beurre.

1 c. à table de farine.

Faire cuire pendant 5 minutes et lier hors du feu avec:

2 jaunes d'œufs délayés dans

2 c. à table de crème à 35%.

Au moment de servir, incorporer avec un fouet:

4 c. à table de beurre doux.

1 filet de jus de citron.

Sauce moutarde
(1 ¼ tasse)
(cervelle, ris de veau, lapin)

Au moment de servir et hors du feu, ajouter et mélanger avec un fouet à:

1 sauce au beurre au bouillon de poulet.

2 c. à thé de moutarde forte française.

Sauce thermidor
(homard, crevettes)

Au moment de gratiner, hors du feu, ajouter et mélanger avec un fouet:

¾ de tasse de sauce moutarde.

¼ de tasse de crème à 35%.

2 c. à table de parmesan et

2 c. à table de gruyère râpés.

Cayenne.

Sauce aux câpres
(poissons cuits au court-bouillon)

Avant de servir, hors du feu, ajouter et mélanger à:

1 tasse de sauce au beurre au court-bouillon.

2 c. à table de câpres au vinaigre, bien essorées.

1 c. à thé de persil frais haché.

Sauce homard

Avant de servir et hors du feu, ajouter et mélanger à la main:

1 tasse de sauce crème.

2 c. à thé de purée d'anchois à l'huile.

¼ de tasse de petits dés de homard cuit au court-bouillon.

Cayenne.

Sauce aux huîtres

Hors du feu, ajouter et mélanger à:

⅓ de tasse de sauce blanche de consistance légère.

⅓ de tasse de crème à 35% ou à 15%.

Cayenne.

⅔ de tasse d'huîtres crues écaillées, amenées lentement au point d'ébullition en les remuant continuellement et bien égouttées de leur jus.

Ne pas faire bouillir après l'addition des huîtres.

Sauce curry à base de bouillon de poulet
(veau, poulet, agneau, ris de veau,
rognons cuits blancs)

Râper et faire blondir dans une petite poêle à feu « moyen »:

¼ de tasse d'oignon avec

2 c. à thé de beurre.

(SUITE À LA PAGE 98)

(SUITE DE LA PAGE 97)

Ajouter:

1 c. à table de poudre de curry de Madras.

⅛ de c. à thé de sel.

½ tasse de pomme « McIntosh » en demi-quartiers.

Faire cuire à feu « moyen » pendant 10 minutes, poêle couverte, en remuant de temps en temps.

Réduire en purée avec:

¾ de tasse de sauce-crème préparée avec moitié lait et moitié bouillon de poulet.

Facultatif:

¼ de banane en minces tranches.

1 c. à table de Chutney (confiture de mangues).

SAUCES BRUNES À BASE DE ROUX

Ces sauces peuvent accompagner des viandes rouges ou blanches, des abats, des volailles et gibier grillés, poêlés ou rôtis, également des légumes braisés: céleris, cardes, artichauts, etc.

Description

Bouillon brun ou consommé de bœuf en boîte bouillant lié avec un roux, cuit avec des assaisonnements, dégraissé, passé dans une passoire à trous fins, éventuellement additionné d'autres ingrédients.

Roux brun

Mélanger en pâte homogène, un poids égal de farine « tout usage » et de beurre fondu, dans une petite casserole à feu doux.

Faire cuire à couvert pendant 15 minutes environ en remuant toutes les 2 minutes jusqu'à ce que la préparation soit brun pâle.

Proportions pour 2½ tasses de bouillon

(C'est la quantité minimum pour que la cuisson soit parfaite)

CONSISTANCE	BEURRE	FARINE « TOUT USAGE »
Légère	1 c. à table et 1 c. à thé	2 c. à table
Moyenne	2 c. à table	3 c. à table
Epaisse	3 c. à table	4 c. à table et 1 c. à thé

RECETTES

Sauce brune de base

Cette sauce brune sert à préparer la majorité des autres sauces.

Proportions pour 2½ tasses

Faire rissoler à feu moyen, dans une petite poêle de préférence épaisse, en remuant souvent:

¼ de tasse de dés de lard maigre salé blanchis.

1 c. à thé de beurre.

Dès qu'ils sont blonds, ajouter et faire rissoler de la même façon:

⅓ de tasse d'oignon.

¼ de tasse de carotte émincée.

Ajouter et mélanger:

1 c. à table de purée de tomate en boîte.

2 tasses de consommé de bœuf en boîte.

¾ de tasse d'eau.

En même temps, faire séparément un roux avec:

3 c. à table de farine « tout usage ».

2 c. à table de beurre.

Délayer le roux avec le liquide bouillant.

Reverser dans la même casserole, amener à ébullition à température « moyenne » en remuant continuellement.

Ecumer.

100

Ajouter:

Sel et poivre.

2 gousses d'ail entières.

½ feuille de laurier.

¼ de c. à thé de thym.

Cuire et faire mijoter à couvert, pendant 1 heure, en remuant de temps en temps.

Dégraisser, passer la sauce dans une passoire à trous fins.

Jeter les ingrédients solides.

Rincer la casserole, y reverser la sauce, la faire mijoter pendant 20 minutes en la dépouillant fréquemment de la croûte qui se forme en surface.

Proportions pour 1 à 1¼ tasse
(6 portions généreuses)

Sauce chaud-froid brune

Cette sauce sert à napper des viandes ou volailles rôties froides.

Délayer:

½ sachet de gélatine en poudre non aromatisée dans

⅛ de tasse de vin de Madère, de Porto secs ou de bouillon.

Ajouter et mélanger:

1 tasse de sauce brune bouillante.

Sel et poivre.

Faire refroidir cette sauce en la remuant de temps en temps.

L'utiliser quand elle est assez froide afin qu'elle se fige instantanément sur l'aliment.

Sauce madère

Faire lentement bouillir en l'écumant:

1¼ tasse de sauce demi-glace jusqu'à ce qu'elle diminue de ¼ à 1 tasse.

Au moment de servir, hors du feu, ajouter:

3 c. à table de madère très sec.

Saler et poivrer.

Facultatif: juste avant de servir et hors du feu, incorporer:

2 c. à table de beurre doux.

Sauce porto

Même recette que pour la sauce madère en remplaçant le madère par du porto.

Sauce financière

Même recette que pour la sauce madère additionnée, hors du feu:

de 3 c. à table d'essence de truffes ou, à défaut, de jus de champignon.

Sauce aux champignons

Faire revenir dans une petite casserole couverte sur un feu à température « moyenne » avec:

1 c. à thé de beurre.

¾ de tasse de champignons blancs émincés.

Ajouter:

½ c. à thé de jus de citron.
¾ de tasse de sauce brune.

Faire cuire pendant 2 minutes.

Rectifier l'assaisonnement.

Facultatif: avant de servir et hors du feu, incorporer:
1 c. à table de beurre doux.

Sauce chasseur

Hacher séparément à la main:

2 c. à table d'échalote sèche ou d'oignon;
¾ de tasse de chair de tomate fraîche et
1 c. à table d'échalote.

Les faire revenir dans une petite casserole sur un feu à haute température en remuant souvent jusqu'à réduction des ¾ avec:

2 c. à thé de beurre.
Sel et poivre.

Ajouter:

¾ de tasse de sauce brune.

Faire mijoter pendant 25 minutes.

Filtrer dans une passoire à trous fins.

Conserver au chaud.

Emincer et faire revenir dans une petite poêle sur un feu à très haute température:

¾ de tasse de champignons blancs avec
la c. à table d'échalote sèche hachée réservée à cet effet.

(SUITE À LA PAGE 104)

Dès qu'ils sont à moitié cuits, ajouter et faire bouillir vivement pendant 2 minutes:

¼ de tasse de vin blanc sec.

Verser la sauce sur les champignons et faire bouillir pendant 1 minute.

Facultatif:

1 c. à thé d'estragon frais haché.

1 c. à table de cognac.

Sauce piquante
(porc)

Hacher à la main et faire bouillir jusqu'à réduction

des ⅔:

2 c. à table d'échalote sèche ou d'oignon avec

½ tasse de vin blanc sec.

½ tasse de vinaigre de vin.

Ajouter:

1 tasse de sauce brune.

Faire mijoter pendant 15 minutes en dépouillant de temps en temps.

Hacher grossièrement dans la sauce:

4 petits cornichons au vinaigre, non sucrés, bien essorés.

1 branche de persil.

Facultatif:

8 feuilles d'estragon frais.

Sauce bordelaise à la moelle
(viandes rouges grillées)

Râper et faire bouillir:

2 c. à table d'échalote sèche ou d'oignon avec
⅛ de c. à thé de thym.

1 tasse de vin rouge.

Jusqu'à réduction des ⅔.

Faire mijoter avec:

1 tasse de sauce brune.
jusqu'à diminution à 1 tasse.

Ajouter:

Sel, poivre.
1 filet de jus de citron.

Couper:

2 onces (poids) de moelle de bœuf bien dégorgée
à l'eau salée froide, en dés de ¼ de pouce ou en
rondelles.

Faire blanchir, égoutter et ajouter à la sauce.

Sauce curry à la tomate
(veau, agneau, poulet, canard, bœuf sautés)

Proportions pour 2 tasses

Hacher à la main et faire revenir dans une petite poêle
couverte à feu « moyen » pendant 3 minutes avec:

2 c. à thé de beurre.

⅓ de tasse d'oignon.

2 gousses d'ail.

(SUITE À LA PAGE 106)

(SUITE DE LA PAGE 105)

Ajouter et mélanger avec une spatule ou une cuiller en bois:

1 c. à table de farine « tout usage ».

Faire cuire à feu doux pendant 10 minutes en remuant toutes les 2 minutes.

Ajouter:

1½ c. à table de curry.

2½ c. à table de purée de tomate douce en boîte.

Sel.

Réduire en purée avec:

¾ de tasse de consommé de bœuf en boîte.

¾ de tasse d'eau.

Amener la sauce à ébullition en raclant souvent le fond de la casserole avec une cuiller en bois.

Couvrir la casserole.

Faire mijoter pendant 20 minutes.

Ajouter et faire cuire pendant 10 minutes:

1 tasse de dés de pomme McIntosh.

Facultatif: hors du feu, juste avant de servir, incorporer:

¼ à ⅓ de tasse de crème à 35%.

2 c. à table de Chutney concassé.

SAUCES BRUNES POUR GIBIER

Sauce poivrade
(lièvre, chevreuil, orignal)

Faire revenir avec 2 c. à table d'huile ou de beurre dans une grande poêle à feu vif en les retournant de temps en temps jusqu'à ce qu'ils soient uniformément et bien colorés avec:

⅓ de tasse d'oignon.

¼ de tasse de carotte émincée.

¾ de tasse de dés de bas morceaux du gibier.

Eliminer l'huile.

Ajouter:

⅓ de feuille de laurier.

¼ de c. à thé de thym.

½ tasse de vin blanc.

Faire bouillir jusqu'à ce que le vin ait diminué des ⅔.

Ajouter:

1 tasse de sauce brune.

Faire mijoter pendant ¾ d'heure.
Filtrer la sauce dans une passoire à trous fins en pressant fortement les ingrédients solides contre le fond de la passoire pour en extraire toute la substance.
Jeter les ingrédients solides.

Ajouter:

½ c. à thé de poivre fraîchement moulu.

Faire mijoter pendant 3 minutes.

Avant de servir, hors du feu, incorporer:

1½ c. à table de beurre doux.

Sauce salmis
(gibier à plume)

Faire revenir dans une grande poêle à feu vif
avec 2 c. à table de beurre:

¼ de tasse d'oignon.

3 c. à table de carotte émincée.

Les pilons, la peau, la carcasse du volatile en
petits morceaux.

Dès que les ingrédients sont bien colorés, éliminer le beurre.

Ajouter:

⅓ de tasse de vin blanc.

⅛ de feuille de laurier.

⅛ de gousse d'ail écrasée.

Faire bouillir jusqu'à ce que le vin diminue des ⅔.

Ajouter:

1¾ tasse de sauce brune.

½ tasse de queues de champignons crus.

Faire mijoter pendant ¾ d'heure en écumant de temps
en temps.

Hacher la sauce en 2 fois et la filtrer dans une passoire à
trous fins en pressant fortement les ingrédients solides contre
le fond de la passoire pour en extraire toute la substance.

Jeter les ingrédients solides.

Saisir dans une petite poêle à feu vif:

Le foie du gibier.

1 c. à thé de beurre.

1 c. à table de cognac.

Le réduire en purée dans la sauce très chaude.

Ne plus faire bouillir.

Saler et poivrer.

Au moment de servir, hors du feu, incorporer:

2 c. à thé de beurre.

SAUCES À BASE DE TOMATE

Elles accompagnent les pommes de terre en robe de chambre ou nature, les pâtes alimentaires, les œufs: durs, mollets, pochés, chauds, sur le plat; les viandes, les volailles, les poissons pochés, le foie de veau, la cervelle, les ris de veau, les abats, les crustacés.

Conservation

Réfrigérateur: 6 jours.

Congélateur: 3 mois.

Proportions pour 2 tasses (8 portions)

Sauce aux tomates fraîches

Râper et faire revenir dans une grande poêle sur un feu à haute température en les remuant constamment:

½ tasse d'oignon.

2 c. à table d'huile.

Ajouter:

6 tasses de morceaux de tomates fraîches égouttées.

2 c. à table de purée de tomate douce en boîte.

Sel, sucre, poivre, thym.

Faire cuire vivement en raclant souvent le fond de la poêle avec une spatule en bois jusqu'à diminution de moitié ou des ⅔.

Réduire en purée avec:

¼ de tasse de consommé de bœuf en boîte.

Sauce tomate braisée

Faire bouillir dans une petite casserole couverte sur un feu à basse température:

1¼ tasse d'eau.
¾ de tasse de consommé de bœuf en boîte.

Faire revenir dans une petite poêle couverte, sur un feu à température « moyenne » avec 1½ c. à table d'huile en remuant souvent:

¼ de tasse d'oignon.
3 c. à table de carotte émincée.

Dès qu'ils sont colorés, mélanger:

2 c. à table de farine « tout usage ».

Couvrir, diminuer à température « basse ».
Faire cuire pendant 12 minutes en remuant très souvent.

Ajouter:

¾ de tasse de purée de tomate.
¼ de c. à thé de sucre.

Remuer pendant 1 minute.
Hors du feu, ajouter et mélanger le liquide bouillant.
Amener la sauce à ébullition sur un feu à température « moyenne » en remuant constamment.

Ajouter:

½ feuille de laurier.
Sel.
2 gousses d'ail.
½ c. à thé de thym.
½ c. à thé de marjolaine.

Faire mijoter pendant 1 heure.
Facultatif: la passer dans une passoire à trous fins.

Sauce tomate aux poivrons
rouges ou verts

Faire revenir ¾ de tasse de poivron émincé avec

1 c. à table d'huile dans une petite poêle couverte à feu moyen en les retournant toutes les 2 minutes jusqu'à ce qu'ils soient cuits et légèrement colorés:

¾ de tasse de poivron émincé.

1 c. à table d'huile.

Ajouter:

2 tasses de sauce tomate.

Faire mijoter pendant 5 minutes.

Sauce tomate aux piments verts doux

Même recette que pour la sauce tomate aux poivrons en les remplaçant par des piments.

Sauce tomate aux champignons

Faire revenir 1 tasse de champignons blancs émincés avec 1 c. à table d'huile dans une grande poêle sur un feu à haute température en les remuant constamment, jusqu'à ce qu'ils soient à moitié cuits.

Ajouter:

2 tasses de sauce tomate.

Sauce bolognèse

Saler, poivrer et cuire saignante:

1 bifteck de bœuf tendre d'environ 8 onces
et ¼ de pouce d'épaisseur avec

1 c. à thé d'huile dans une poêle sur un feu à
température « moyenne haute ».

La couper en dés.

Ajouter et mélanger à la main:

2 tasses de sauce tomate.

Mélanger avec une cuiller.

Sauce sicilienne

Hacher au moulin à viande:

4 onces de veau maigre.

4 onces de porc frais maigre.

Poivrer et faire revenir avec 1 c. à table d'huile dans
une grande poêle à feu « moyen » en remuant avec
une fourchette pendant 2 minutes.

Ajouter:

2 tasses de sauce tomate.

Faire mijoter pendant 10 minutes.

Sauce aux boulettes de viande

Faire revenir avec 1 c. à table d'huile dans une grande
poêle sur un feu à température « moyenne » jusqu'à ce
qu'elle soient à moitié cuites:

>16 boulettes de viande avec
>1 c. à table d'huile.

Ajouter:

>2 tasses de sauce tomate.

Les faire mijoter jusqu'à ce qu'elles soient cuites.

SAUCE HOLLANDAISE

Proportions 1 1/4 tasse (4 portions)

Faire clarifier:

>1 1/4 tasse de beurre doux
>au four à 250°F jusqu'à ce que les impuretés qu'il
>contient se déposent au fond du bol ou remontent
>à la surface.

L'écumer et le transvaser moins le dépôt dans un autre bol.
Conserver ce beurre dans le four à 140°F.
Fouetter à la main ou avec une mixette, au bain-marie
3 jaunes d'œufs, 1/3 de tasse d'eau froide, 1 c. à thé de jus
de citron, sel, poivre blanc, jusqu'à ce que le mélange soit
crémeux et épais en prenant soin de ne pas durcir ou
granuler les jaunes.
Transvaser les jaunes dans le bocal du blender.
Emulsionner le beurre avec les jaunes.
Conserver la sauce à 130°F, ne pas la chauffer à une
température plus élevée, sinon elle tournerait.

SAUCE BÉARNAISE

Même recette que pour la sauce hollandaise.

Remplacer l'eau par:

⅓ de tasse de vinaigre de vin.

⅓ de tasse de vin blanc.

⅛ de c. à thé de poivre noir.

6 branches d'estragon effeuillées.

Le tout réduit par ébullition rapide à ⅓ de tasse.

Ajouter:

1 c. à thé d'estragon frais ou congelé, haché finement.

½ c. à thé de cerfeuil.

ou, à défaut,

½ c. à thé de persil frais haché.

SAUCES ANGLAISES AUX FRUITS

Elles doivent se servir chaudes, selon la coutume du pays, exception faite pour la sauce aux pêches. Elles accompagnent le porc, l'agneau, les volailles (sauf le poulet).

Procédé de cuisson

Laver les baies ou les fruits; couper ces derniers en morceaux.

Les mettre dans une petite casserole épaisse avec les autres ingrédients spécifiés dans la recette et *ne plus découvrir la casserole jusqu'à la fin de la cuisson.*

Placer la casserole à feu « moyen ».

Dès qu'il s'en échappe un peu de vapeur, régler le feu suffisamment bas pour qu'elle ne sorte pas.

A partir de ce moment, faire cuire les fruits pendant 5 minutes et les baies pendant 10 à 15 minutes.

Sauce aux pommes

Proportions pour 2½ tasses (8 portions)

Préparer 4 tasses de morceaux de pommes non épluchées.

Si on veut éviter qu'elles ne brunissent les faire tremper pendant 20 secondes dans 6 tasses d'eau froide additionnées de 1 c. à table de sel et égoutter.

Les mélanger à la main dans un bol avec:

4 c. à table de sucre granulé *ou* de cassonade.

2 c. à table de beurre doux, bien froid, coupé en dés.

Facultatif:

Gingembre, cannelle, clou de girofle ou poudre de curry.

Faire cuire (voir procédé de cuisson).

Réduire en purée.

Sauce aux myrtilles (canneberges)
(dinde)

Faire cuire:

2 tasses de myrtilles.

½ à ¾ de tasse de sucre granulé ou de cassonade,

avec 1 tasse d'eau.

Facultatif:

Zeste d'orange ou de citron.

Réduire en purée.

Passer ½ tasse à la fois, dans une passoire, en pressant fortement les baies contre le treillis et en nettoyant la passoire avant de passer la quantité suivante.

Rectifier la consistance avec de l'eau ou un peu de vin rouge.

Sauce aux groseilles
(maquereaux grillés)

Faire cuire:

2½ tasses de groseilles à maquereaux.

½ tasse de sucre granulé ou de cassonade,

avec ¼ de tasse d'eau.

Réduire en purée.

Passer de la même façon que la sauce aux myrtilles.

Sauce aux pêches

Proportions pour 3 tasses

Faire cuire:

4 tasses de morceaux de pêches à chair jaune.

½ tasse de sucre granulé,

avec 3 c. à table d'eau,

ajouter 1 pointe de cayenne.

Facultatif:

Ajouter ¼ de c. à thé de gingembre en poudre.

Réduire en purée.

Faire bouillir:

¼ de tasse d'eau.

¼ de tasse de sucre pendant 2 minutes.

Mélanger avec la purée de pêche.

Faire mijoter pendant 15 minutes.

Ecumer.

Filtrer dans une passoire à trous très fins.

SAUCES ANGLAISES

Proportions pour 1 tasse
(4 portions généreuses)

Sauce à la sauge (sariette) et à l'oignon
(se sert chaude avec le canard rôti et sans jus;
sert aussi à le farcir)

Réduire en purée:

1 oignon moyen, rôti avec sa pelure, dans le four chauffé à 350°F, puis épluché.

2 tranches de pain à sandwich débarrassées de leurs croûtes, coupées en 4.

5 onces de lait bouillant.

1 c. à thé de sauge.

Sel, poivre, muscade.

Sauce au raifort
(se sert chaude avec bœuf braisé
et plat de bœuf)

Râper:

¼ de tasse de raifort.

Faire bouillir lentement pendant 10 minutes dans:

½ tasse de bouillon blanc d'os de veau ou de poulet.

Réduire en purée.

Mélanger avec:

¼ de tasse de sauce au beurre (page 122).

¼ de tasse de crème à 35%, très chaude.

3 c. à table de mie de pain sèche (chapelure blanche).

1 jaune d'œuf.

Sel et poivre.

Sauce menthe
(se sert avec de l'agneau poché ou du rôti,
chaud ou froid)

Hacher finement:

⅔ de tasse de feuilles de menthe fraîche bien tassées.

3 c. à table de cassonade.

⅛ de c. à thé de sel,

avec ⅓ de tasse de vinaigre de vin rouge, bouillant.

Mélanger:

⅓ de tasse d'eau.

⅓ de tasse de vinaigre bouillant.

Servir froid.

Sauce diable
(poulet grillé ou rôti à la broche)

Faire réduire de moitié par ébullition rapide:

½ tasse de vinaigre de vin.

1 c. à table d'échalote sèche ou d'oignon haché.

Faire mijoter pendant 5 minutes avec:

¾ de tasse de sauce brune.

1 c. à thé de purée de tomate en boîte.

Facultatif: Incorporer avant de servir, hors du feu, sauce
Derby et cayenne.

Sauce aux œufs

Incorporer délicatement à la main:

1 c. à table de beurre.

Quelques gouttes de jus de citron.

1 tasse de sauce crème très chaude.

Incorporer délicatement à la main:

1 œuf dur grossièrement haché.

¼ de c. à thé de persil frais haché.

Sauce aux oignons

Emincer ½ tasse d'oignon.

Faire cuire avec:

1 c. à thé de beurre doux.

½ c. à thé de jus de citron.

Sel, poivre, muscade râpée.

Dans une petite casserole couverte sur un feu à température « moyenne basse ».

Réduire en purée avec:

¼ de tasse de sauce crème.

Ajouter ½ tasse de cette même sauce

BEURRES COMPOSÉS POUR GRILLADES

Proportions pour ½ tasse
(8 c. à table)

Les beurres accompagnent les grillades et se servent en pommade (crème) ou roulés en saucisson dans une feuille de papier ciré, durcis au réfrigérateur et coupés en rondelles de 3/16 de pouce.

Beurre maître d'hôtel

Mélanger en crème:

½ tasse de beurre doux à la température de la cuisine.

1½ c. à thé de jus de citron.

Sel, poivre blanc.

1 c. à thé de persil frais haché.

Beurre à l'ail

Mélanger en crème avec:

1 c. à thé de jus de citron.

Sel, poivre blanc.

3 gousses d'ail écrasées et hachées finement à la main.

½ tasse de beurre à la température de la cuisine.

Beurre aux herbes

Réduire en purée:

2 c. à thé de jus de citron.

Sel, poivre blanc.

⅓ de tasse de feuilles bien tassées de persil frais, de ciboulette, d'estragon et de cerfeuil.

Mélanger en crème:

½ tasse de beurre doux à la température de la cuisine.

BEURRES COMPOSÉS

Beurre d'anchois

Réduire en purée:
1 c. à thé de jus de citron.
Poivre blanc.
1½ filet d'anchois à l'huile.
2 gouttes de tabasco.
4 c. à table de beurre doux à la température de la cuisine.

Mélanger en crème avec:
4 c. à table de beurre doux à la température de la cuisine.

Beurre d'escargot

Faire revenir dans une petite poêle sur un feu à température moyenne:
1 c. à table d'échalote sèche émincée.
1 c. à thé de beurre.

Ajouter et faire réduire des ⅔ par ébullition rapide:
3 onces de vin blanc sec.

Verser dans le bocal et attendre que ces ingrédients refroidissent.

Mélanger en crème avec:
3 gousses d'ail écrasées.
1 bouquet de feuilles de persil frais.
2 c. à table de beurre doux à la température de la cuisine.

Incorporer cette préparation à:
6 c. à table de beurre doux en pommade.

Entrées ou
plats de résistance

Hachis Parmentier
(restes de bœuf, porc, veau, poulet rôti)

Proportions pour 4 portions

Allumer et régler le fourneau à 450°F.

Préparer 2 tasses de purée de pomme de terre au beurre et au lait, assaisonnée de sel, de poivre et de muscade râpée.

Hacher en 2 fois:

1½ tasse de restes de viande.

½ tasse de sauce brune de base bouillante.

2 c. à table de vin blanc sec.

ou

1 filet de jus de citron.

Amener la préparation à ébullition dans une grande poêle à feu « moyen » et ajouter:

1 c. à thé de persil haché.

Facultatif:

1 c. à table d'oignon haché revenu.

Verser le hachis dans un plat profond allant au four, le recouvrir avec la purée, le saupoudrer généreusement de chapelure blanche, l'asperger, à l'aide d'un pinceau, avec

2 c. à table de beurre fondu.

Faire gratiner à l'étage supérieur du four en surveillant toutes les 2 minutes.

127

Pâté chinois

Même recette que hachis Parmentier en remplaçant la moitié de la purée de pomme de terre par du maïs (blé d'Inde) cuit.

Croquettes

(idéal pour utiliser des restes de jambon, de poulet, de gibier, de homard, de crevettes, de morue salée, de roquefort, de gruyère)

Proportions pour 4 portions de
6 croquettes de 1 once chacune

Hacher en 3 fois jusqu'à ce que les ingrédients solides soient réduits en morceaux de 1/32 de pouce:

1½ tasse de l'aliment cuit choisi avec

1 tasse de sauce blanche épaisse.

Incorporer 3 jaunes d'œufs délayés avec une fourchette.

3 c. à table de lait.

Etendre la préparation sur une tôle à pâtisserie beurrée.

L'asperger de gouttelettes de beurre fondu.

Quand elle est froide, la réfrigérer pendant 3 heures.

La démouler sur une planche ou une table préalablement farinée.

La couper avec un couteau trempé dans l'eau bouillante en 24 carrés.

Les saupoudrer de farine, les rouler en boulettes dans la paume des mains.

Les paner une à une en les passant successivement à la farine puis, dans 2 œufs battus avec 1 c. à table d'eau et une pincée de sel, et dans de la chapelure blanche.

Les saisir et les faire frire pendant 3 minutes dans une friture chauffée à 360°F.

Les retirer de la friture, les mettre sur un papier absorbant et les éponger.

Les dresser sur un plat recouvert d'un napperon.

Décorer avec des bouquets de feuilles de persil frisé.

Servir avec la sauce préférée.

Pain de veau et de jambon

Proportions pour 4 portions

Allumer et régler le four à 275°F.

Couper en petits morceaux:

½ livre d'épaule de veau cru.

½ livre de jambon semi-cuit ou cuit.

Passer au moulin à viande en utilisant la grille fine.

Mettre la préparation dans un bol avec:

Poivre, oignon, gousse d'ail, tout épice (all spice), persil frais.

1 c. à thé de jus de citron.

2 œufs entiers.

3 tranches de pain à sandwich débarrassées de leur croûte et trempées dans ½ tasse de lait.

Mélanger les ingrédients avec une spatule puis les **réduire en purée** en 4 fois, avec chaque fois:

3 c. à table de consommé de bœuf en boîte.

Transvaser au fur et à mesure dans un bol.

Mélanger la farce avec une spatule, jusqu'à ce qu'elle soit homogène.

(SUITE À LA PAGE 130)

(SUITE DE LA PAGE 129)

La vider dans un moule à pain de dimension appropriée.

La mettre dans le four au 2ième étage du bas.

Faire cuire pendant 10 minutes à 275°F et 1h.30 à 250°F sans ouvrir la porte du four.

Eteindre le four.

Attendre 15 minutes avant d'ouvrir la porte.

Retirer le pain.

Le démouler sur un plat, le napper avec un jus ou une sauce appropriés.

Servir avec des pâtes alimentaires au beurre, de la purée de pomme de terre ou du riz.

Farce pour chapon rôti

Même recette que pour le pain de veau et de jambon en remplaçant le jambon par la même quantité d'épaule de porc frais cru légèrement entrelardé.

Farce pour boulettes à spaghetti

Même recette que pour la farce pour chapon rôti en remplaçant le « tout épice » par un peu de thym et de marjolaine,

le jambon par du porc frais

ou

en utilisant uniquement du porc frais

ou

du porc frais et du bœuf.

MOUSSES

Mélange d'une moitié de purée de viande ou de volaille cuites telles que: jambon, poulet, canard (ou leur combinaison) ou de purée de poissons ou de crudités cuits tels que: sole, saumon, aiglefin, homard, crevette, avec ¼ de sauce suprême additionnée de gélatine fondue et ¼ de crème fouettée.

Proportions pour 8 portions

Réduire en purée en 2 fois:

¾ de livre (1 ½ tasse) de petits morceaux de l'ingrédient choisi.

Sel, poivre.

½ tasse de sauce suprême.

1 sachet de gélatine en poudre sans saveur délayé

dans:

¼ de tasse de bouillon de poulet.

¼ de tasse de vin de xérès, de madère ou de porto.

Vider dans un bol.

Dès que la composition est à la température normale, incorporer délicatement, à l'aide d'une spatule:

¾ de tasse de crème à 35% fouettée bien ferme.

Faire refroidir au réfrigérateur.

Mousse en aspic

Préparer 2 tasses de gelée aromatisée au même vin que la mousse.

Verser au fond d'un moule ½ tasse de cette gelée.

La faire prendre au réfrigérateur.

Préparer la mousse. A l'aide d'un sac à décorer muni d'une douille unie de ¾ de pouce d'embouchure, déposer ⅓ de la quantité de mousse dans le fond du moule en laissant un intervalle de ¼ de pouce entre la paroi et la mousse.

Remplir cet intervalle de gelée presque prise. Faire prendre la gelée au congélateur.

Dès qu'elle est prise, recommencer avec le second tiers puis le troisième.

Remplir le moule avec le reste de la gelée.

Faire refroidir l'aspic au réfrigérateur pendant 6 heures.

Pour démouler: immerger pendant 10 secondes le moule dans de l'eau chaude jusqu'à ¼ de pouce du bord.

Démouler en renversant le plat à servir sur l'orifice du moule, en retournant d'un seul coup le moule et le plat et en ôtant délicatement le moule.

LÉGUMES

Proportions pour 6 portions généreuses
(2 tasses)

Purée de carottes

Cuire à l'eau ou à la vapeur à basse pression
(à l'étouffée):
2 tasses de carottes grossièrement émincées.
½ tasse de petits morceaux de pomme de terre.

Egoutter et **réduire en purée** en 3 fois, avec chaque fois:
1 c. à table de beurre.
2 à 3 c. à table de lait bouillant.
Sel, poivre.
Facultatif:
Persil frais, ciboulette fraîche, menthe.

Purée de petits pois

Cuire à la vapeur à basse pression (à l'étouffée) :
2½ tasses de petits pois frais.
½ tasse de morceaux de pomme de terre.
4 feuilles de laitue de Boston.
1 mince tranche d'oignon.
3 minces tranches de carotte.

Réduire en purée en 3 fois avec chaque fois:
1 c. à table de beurre.
1 à 1½ c. à table de lait bouillant.
Sel, poivre.

Purée de fèves vertes

(gourganes)

Même recette que pour la purée de petits pois en remplaçant les petits pois par des fèves vertes (gourganes) cuites à l'eau salée.

Purée de haricots verts

Même recette que pour la purée de petits pois en les remplaçant par la même quantité de haricots verts.

Purée de pois cassés

Même recette que pour la purée de petits pois en les remplaçant par la même quantité de pois cassés, cuits à l'eau avec:

1 tranche de lard maigre salé ou fumé.

1 petit oignon.

1 carotte.

Purée de lentilles

Même recette que pour la purée de pois cassés en les remplaçant par des lentilles.

Purée la Belle Province

Même recette que pour la purée de pois cassés en les remplaçant par des haricots blancs.

Tomates farcies

Proportions pour 8 demi-tomates

Oter la croûte de:
3 tranches de pain rassis.
En faire de la chapelure.

Les mélanger avec:
2 c. à table d'huile.
2 gousses d'ail hachées.
1 c. à thé de persil frais haché.
Sel, poivre.

Allumer et régler le four à 450°F.
Emonder et couper 4 tomates en 2 dans le sens de l'épaisseur.
Les disposer sur un plat huilé allant au four, la partie tranchée vers le haut.
Saler et poivrer.
Répartir la chapelure assaisonnée sur les demi-tomates.
Faire cuire dans le four à l'étage supérieur jusqu'à ce que la chapelure soit dorée.

Aubergines farcies

Proportions pour 4 portions

Allumer et régler le four à 500°F.
Couper en 2 dans le sens de la longueur:
2 petites aubergines.

Pratiquer une entaille profonde tout autour et à ¼ de pouce de l'écorce à partir de cette entaille.
Fendre la chair profondément dans les 2 pouces en long et en large.
Déposer les demi-aubergines sur un plat allant au four, saler et poivrer.

(SUITE À LA PAGE 136)

(SUITE DE LA PAGE 135)

Arroser avec:

> 4 c. à table d'huile végétale.

Les faire cuire pendant 20 minutes à l'étage supérieur du four.

Vider les aubergines de leur chair à l'aide d'une cuiller.

Ranger les écorces sur un plat à gratiner.

Faire revenir dans une grande poêle à feu vif:

> ½ tasse d'oignon émincé.
>
> 2 c. à table d'huile.

Puis dès que l'oignon a blondi:

> 1 tasse de morceaux de tomate.

Réduire en purée:

> L'oignon et la tomate.
>
> La chair d'aubergine.

Transvaser dans un bol.

Mélanger avec une spatule:

> ½ tasse de chapelure blanche.
>
> 1 c. à thé de persil frais haché.
>
> 2 gousses d'ail hachées.
>
> Thym, sel, poivre.

Garnir les demi-écorces d'aubergine avec cette farce.

Saupoudrer avec un peu de chapelure.

Arroser d'un filet d'huile.

Faire gratiner dans le four à 450°F à l'étage supérieur pendant 18 à 20 minutes jusqu'à ce que les aubergines soient bien dorées.

Desserts

Crème pâtissière à la vanille

Cette crème sert à garnir des mille-feuilles, des choux, des éclairs, des gâteaux, des tartes à la française.

Amener à ébullition dans une petite casserole, sur un feu à température « moyenne »:

1¼ tasse de lait.

⅛ de c. à thé d'extrait de vanille.

Mélanger avec la moitié de ce lait bouillant:

3 jaunes d'œufs.

2½ c. à table de fécule de maïs (corn starch).

1/16 de c. à thé de sel.

⅓ de tasse de sucre granulé.

Remettre le reste du lait sur le feu.

Y verser et mélanger la préparation.

Remuer avec un fouet en raclant le fond et le tour de la casserole.

Dès que la crème commence à épaissir, retirer la casserole du feu et remuer vigoureusement afin de bien homogénéiser les ingrédients.

Remettre la casserole sur le feu et continuer à remuer jusqu'à ce que la crème bouille.

Faire bouillir pendant 5 secondes.

Filtrer immédiatement la crème dans une passoire à trous fins.

Saupoudrer de sucre à glacer afin qu'en refroidissant elle ne forme pas de croûte.

Crème pâtissière au café

Même recette que pour la crème pâtissière à la vanille en remplaçant la vanille par:

1 c. à thé de café instantané,

délayé avec une petite cuiller dans:

1 c. à table d'eau bouillante.

Crème pâtissière au chocolat

Même recette que pour la crème pâtissière à la vanille en remplaçant l'extrait de vanille par 2 carrés de chocolat semi-sucré, coupés en petits morceaux, que l'on fait fondre dans le lait.

Crème pâtissière à la Chantilly (crème fouettée)

(Même utilisation que pour la crème pâtissière
à la vanille)

Fouetter au malaxeur:

½ tasse de crème à 35%.

¼ de c. à thé d'extrait de vanille jusqu'à ce que la crème soit très ferme.

Mélanger avec cette crème fouettée:

2 c. à table de sucre à glacer.

1 ¼ tasse de crème pâtissière très froide.

Crème pâtissière au rhum

Mélanger:

4 c. à table de pâte d'amande à la température de la pièce et légèrement ramollie à la main.

3 c. à table de rhum.

1 tasse de crème pâtissière à la vanille.

Crème frangipane à la crème fouettée

Fouetter:

⅓ de tasse de crème à 35%.

Ajouter dès qu'elle est ferme:

1½ c. à table de sucre à glacer.

Incorporer délicatement à cette crème:

½ tasse de crème frangipane.

Bavaroise aux fruits

(Mélange de ⅓ de purée de fruits cuits ou crus.

⅓ de crème pâtissière, ⅓ de crème fouettée. Peut se garnir avec des doigts de dame.)

Préparer une crème pâtissière à la vanille 24 heures à l'avance.

Réduire en purée 1 tasse d'un des fruits suivants:

cuits dans le sirop ou en boîte: pommes, poires, pêches, abricots, ananas.

Crus: fraises, framboises, bananes, melons.

Avec:

2 c. à table de sucre granulé.

Fouetter au malaxeur ¾ de tasse de crème à 35% bien froide à vitesse moyenne en y ajoutant:

3 c. à table de sucre à glacer jusqu'à ce qu'elle soit bien ferme.

(SUITE À LA PAGE 142)

(SUITE DE LA PAGE 141)

En prélever ¼ et la mettre dans un sac à décorer muni d'une douille en étoile de ¼ de pouce.

Réunir dans un grand bol:

La crème fouettée.

La crème pâtissière.

La purée de fruits.

Les mélanger délicatement à l'aide d'un fouet.

Verser la bavaroise dans un saladier ou la disposer dans des coupes.

Décorer d'un motif de crème fouettée à l'aide du sac à décorer.

MOUSSES

(Mélange mousseux de purée de fruits, de meringage cuit de crème fouettée et, si on le moule, de gélatine fondue)

Mousse aux fraises sauce Melba

Préparation de la mousse:

Délayer à la main 1½ sachet de gélatine dans ¼ de tasse d'eau froide.
Faire fondre à feu doux (SIM).

Réduire en purée:

1 tasse de fraises.
⅓ de tasse de sucre granulé.

Fouetter:

½ tasse de crème à 35% très froide.
4 c. à table de sucre à glacer.

Fouetter lentement au bain-marie jusqu'à ce qu'ils soient chauds (150°F):

3 blancs d'œufs.
5 onces de sucre à glacer.

Puis au malaxeur, à la vitesse la plus rapide, jusqu'à ce qu'ils soient froids et très fermes.

Incorporer délicatement avec un fouet: la purée de fraises, le meringage et la crème fouettée.

Dès que la gélatine est refroidie, la répandre d'un seul coup sur la préparation et l'y incorporer très rapidement avec un fouet.

Verser la mousse dans un moule profond.

Faire refroidir pendant 3 heures au réfrigérateur.

(SUITE À LA PAGE 144)

Démoulage de la mousse:

Immerger le moule, pendant 6 à 7 secondes, dans une grande casserole d'eau chaude jusqu'à ¼ de pouce du bord. Retirer de l'eau et renverser le plat de service sur le moule. Retourner le tout rapidement et le secouer en maintenant fermement le plat et le moule l'un contre l'autre.
Poser sur une table, ôter le moule.

Préparation de la sauce Melba:

Réduire en purée:

1 tasse de fraises crues.

½ tasse de sucre bouilli avec 3 c. à table d'eau pendant 1 minute.

2 c. à table de curaçao.

Ou à défaut,

2 c. à table d'eau.

Napper la mousse avec la sauce Melba.

Mousse aux pommes

Même recette que pour la mousse aux fraises en remplaçant les fraises par:

1 tasse de sauce aux pommes (recette page 116).

Napper la mousse avec:

1 tasse de crème pâtissière légère additionnée de ⅓ de tasse de crème à 15%.

Mousse à l'orange

Même recette que pour la mousse aux fraises en remplaçant les fraises par:

1 tasse de jus d'orange et le zeste râpé d'une orange.

MUFFINS

Proportions pour 12 muffins

Bran muffins

Allumer et régler le four à 400°F.

Mesurer, mettre dans une passoire au-dessus d'un bol et tamiser:

1 tasse de farine « tout usage ».

3 c. à thé de poudre à pâte.

½ c. à thé de sel.

½ tasse de raisin sec Sultana.

Mélanger:

1 tasse de lait.

1 œuf.

1 once de beurre à température normale (75°F).

¼ de tasse de mélasse.

1 c. à table de sucre.

Verser les ingrédients liquides sur les ingrédients secs et les incorporer lentement avec un fouet.

Placer 12 moules en papier dans les cavités d'une tôle à muffins.

Les remplir aux ¾ avec la pâte.

Enfariner et cuire pendant 35 à 40 minutes à 400°F.

Dès que les muffins sont cuits, les retirer de la tôle et les placer sur une grille.

Gâteau velouté

Proportions pour 1 gâteau de 8 pouces de
diamètre et 2 pouces d'épaisseur

Allumer et régler le four à 350°F.

Beurrer et fariner un moule à gâteau 8" x 2".

Mesurer, mettre dans une passoire au-dessus d'un bol
et tamiser:

2 tasses de farine à pâtisserie.

3 c. à table de poudre à pâte.

1 c. à thé de sel.

Mélanger pendant 1 minute:

4 onces de beurre à température normale (75°F).

1 tasse de sucre.

2 œufs.

1 zeste d'orange ou de citron

ou

½ c. à thé de vanille.

Verser d'abord les ingrédients liquides sur les ingrédients
secs puis ajouter:

¾ de tasse de lait.

Incorporer lentement tous les ingrédients avec un fouet
jusqu'à ce que la pâte soit homogène.

Mettre au four au 2ième étage du bas et cuire pendant 45
minutes à 350°F.

Dès que le gâteau est cuit, le démouler sur une grille à
pâtisserie.

Laisser refroidir.

Lorsque le gâteau est froid, si désiré, le couper en deux dans le sens de l'épaisseur et le garnir avec:

une des crèmes dont on trouvera la recette de la page 139 à la page 141.

ou

¾ de tasse de crème à 35% fouettée et sucrée avec ¼ de tasse de sucre à glacer.

Glacer ensuite le gâteau avec une des préparations décrites ci-dessous.

Glaçage au chocolat

Délayer:

2 carrés de chocolat semi-sucré coupés en petits morceaux avec:

¼ de tasse de lait bouillant.

¼ de c. à thé d'extrait de vanille.

1 once de beurre à température normale.

1 once de sucre à glacer.

Mélanger pendant 2 minutes.

Glaçage aux noix de Grenoble

Fouetter au malaxeur:

¾ de tasse de beurre.

½ tasse de sucre granulé.

Réduire en purée 2 fois:

¾ de tasse de noix de Grenoble.

⅓ de tasse de lait.

(SUITE À LA PAGE 148)

Ajouter cette purée au beurre en crème dans le malaxeur.

Facultatif :

2 onces de Tia Maria.

Fouetter à vitesse moyenne pendant 5 minutes.

Glaçage à l'orange

Râper :

1 zeste d'orange.

4 c. à table de sucre à glacer.

Mélanger et ajouter :

1¾ tasse de sucre à glacer.

2 jaunes d'œufs crus.

½ tasse de beurre doux à température normale.

3 c. à table de jus d'orange.

Transvaser la préparation dans le malaxeur et la fouetter pendant 2 minutes.

Glaçage au citron

Même recette que pour le glaçage à l'orange en remplaçant le zeste et le jus d'orange par du zeste et du jus de citron.

PARFAITS

(Mélange homogène de Jello de n'importe quelle essence avec de la crème glacée et éventuellement garni de fruits)

Parfait aux fraises

Délayer:

2 onces de poudre de Jello aux fraises.
1 ¼ tasse d'eau bouillante.

Mélanger par 2 c. à la fois:

1 ¾ tasse de crème glacée aux fraises.
Verser le parfait dans les coupes.
Refroidir pendant 2 heures au réfrigérateur.
1 heure avant de servir, décorer avec un motif de crème fouettée et une belle fraise.

Autres parfaits aux fruits

Même recette que pour le parfait aux fraises en variant les essences.

TARTES

Tarte « parfait aux fraises »

Préparer et cuire une croûte à tarte en pâte brisée de 8 pouces de diamètre.
Préparer une recette de parfait aux fraises et la verser dans la croûte à tarte froide.
Refroidir au réfrigérateur jusqu'à ce que le parfait se solidifie.
Recouvrir avec 1 tasse de crème fouettée, sucrée avec ¼ de tasse de sucre à glacer.
Garnir avec ½ chopine de fraises fraîches.

Autres tartes

Même recette que pour la tarte « parfait aux fraises »
en variant les essences.

Tarte au sirop d'érable

Préparer et cuire une croûte à tarte en pâte brisée de
8 pouces de diamètre.
Amener à ébullition sur un feu à température
« moyenne » dans une grande poêle, en remuant de
temps en temps.
1 ½ tasse de sirop d'érable.
¾ de tasse d'eau.
2 c. à table de beurre.
⅛ de c. à thé de sel.

Délayer:

⅓ de tasse de fécule de maïs (corn starch).
½ tasse d'eau.
1 ½ tasse environ de la préparation au sirop
d'érable bouillante.

Remettre la poêle sur le feu.
Tout en remuant, y verser le contenu du bocal.
Remuer continuellement.
Râcler le fond et le tour de la poêle.
Dès que la crème commence à épaissir un peu, au fond de la
poêle, la retirer du feu.
Remuer vigoureusement avec un fouet pendant 10 secondes.
Remettre la poête sur le feu.
Le régler entre « moyenne » et « haute » température.
Remuer la crème jusqu'à ce qu'elle bouille.
La faire bouillir vivement pendant 1 ½ minute.
Placer la croûte sur une grille à pâtisserie.
Verser la crème au sirop d'érable.
Dès que la tarte est froide la conserver au réfrigérateur.

Deux heures environ avant de servir, fouetter au malaxeur:

⅓ de tasse de crème à 35%
en ajoutant quand elle est ferme:
1½ c. à table de sucre à glacer.

La mettre dans un sac à décorer muni d'une douille en étoile d'un demi-pouce et former des motifs décoratifs de crème sur la tarte.
Disposer entre ces motifs 8 demi-noix de Grenoble.

Tarte aux fruits

Préparer et cuire une croûte à tarte en pâte brisée ou sablée de 8 pouces de diamètre. Lorsque cette croûte est froide, étendre sur le fond:

1¼ tasse de crème pâtissière.

Garnir avec les fruits crus ou cuits préférés:

Fruits crus au choix:
fraises, framboises, raisins verts, bananes.

Fruits cuits:
poires, pommes, pêches, abricots.

Enduire les fruits avec un peu de gelée.

« Jellos »

Mélanger les proportions de Jello et d'eau indiquées au mode d'emploi.
Répartir dans des coupes individuelles, réfrigérer.
Décorer, au moment de servir, avec fruits et crème Chantilly.

151

«Aspics aux fruits»

Mélanger les proportions du Jello choisi et d'eau indiquées au mode d'emploi.

Réduire en purée en 2 fois dans cette préparation:

1 tasse des fruits correspondants.

⅓ de tasse de sucre granulé.

Faire refroidir en remuant de temps en temps.

Au moment où la préparation commence à épaissir, la verser dans un moule à aspic.

La réfrigérer jusqu'à ce qu'elle soit bien ferme.

Démouler juste avant de servir.

Facultatif: décorer avec
½ tasse de crème fouettée sucrée.

CUISINE POUR BÉBÉS
CONVALESCENTS
OU MALADES

L'alimentation des bébés est habituellement sous la surveillance des pédiatres: il faut donc se conformer à leurs recommandations pour préparer cette nourriture, en utilisant le blender chaque fois que les recettes le préconisent, en particulier pour les biberons et les purées.

Cette suggestion s'applique dans tous les cas où un régime alimentaire est prescrit par le médecin.

MESURES MÉTRIQUES   MESURES ANGLAISES

Ingrédients	Poids	Volume	Poids	Volume
Eau	1 litre		2 lb 2 oz	4½ tasses
Lait	½ litre		1 lb 1oz	2¼ tasses
	¼ litre		8½ oz	1 tasse 2 c. à table
	1/10 litre (1 décilitre)		3½ oz	3 oz 1 c. à table
Sucre granulé (appelé en France sucre en poudre)	1 kg		2 lb 2 oz	4¾ tasses
	500 gr		1 lb 1 oz	2¼ tasses
	250 gr		8½ oz	1 tasse 2 c. à table
	125 gr		4¼ oz	½ tasse 1 c. à table
	100 gr		3½ oz	3 oz 1 c. à table
	50 gr		1¾ oz	4 c. à table
Farine fécule de maïs sucre en poudre (appelé en France sucre glacé)	1 kg		2 lb 2 oz	6 tasses
	500 gr		1 lb 1 oz	3 tasses
	250 gr		½ lb ½ oz	1½ tasse
	125 gr		4¼ oz	¾ de tasse
	100 gr		3½ oz	⅔ de tasse
	50 gr		1¾ oz	⅓ de tasse
Beurre	1 kg		2 lb 2 oz	4¾ tasses
	500 gr		1 lb 1 oz	2⅓ tasses
	250 gr		8½ oz	1 tasse 3 c. à table
	125 gr		4¼ oz	½ tasse 1½ c. à table
	100 gr		3½ oz	½ tasse

MESURES EN VOLUME

Tasse	Onces	C. à table	C. à thé
1 tasse à mesurer	8 onces	16 c. à table à mesurer	48 c. à thé
½ tasse à mesurer	4 onces	8 c. à table à mesurer	24 c. à thé
¼ de tasse à mesurer	2 onces	4 c. à table à mesurer	12 c. à thé
⅛ de tasse à mesurer	1 once	2 c. à table à mesurer	6 c. à thé
1/16 de tasse à mesurer	½ once	1 c. à table à mesurer	3 c. à thé

Index

CARACTÉRISTIQUES ET
MODE D'EMPLOI

BOISSONS ET RAFRAÎCHISSEMENTS

SAUCES FROIDES

SALADES ET HORS-D'OEUVRE

POTAGES

SAUCES CHAUDES

ENTRÉES ET PLATS DE RÉSISTANCE

DESSERTS

MESURES

VOS PROPRES RECETTES

VOS PROPRES RECETTES

Achevé d'imprimer sur les presses de
L'IMPRIMERIE ELECTRA
pour
LES ÉDITIONS DE L'HOMME

 2

2119

Ouvrages parus
chez les Éditeurs du groupe Sogides

Ouvrages parus aux
ÉDITIONS DE L'HOMME

ART CULINAIRE

Art d'apprêter les restes (L'),
S. Lapointe, 4.00
Art de la table (L'), M. du Coffre, $5.00
Art de vivre en bonne santé (L'),
Dr W. Leblond, 3.00
Boîte à lunch (La), L. Lagacé, 4.00
101 omelettes, M. Claude, 3.00
Cocktails de Jacques Normand (Les),
J. Normand, 4.00
Congélation (La), S. Lapointe, 4.00
Conserves (Les), Soeur Berthe, 5.00
Cuisine chinoise (La), L. Gervais, 4.00
Cuisine de maman Lapointe (La),
S. Lapointe, 3.00
Cuisine de Pol Martin (La), Pol Martin, 4.00
Cuisine des 4 saisons (La),
Mme Hélène Durand-LaRoche, 4.00
Cuisine en plein air, H. Doucet, 3.00
Cuisine française pour Canadiens,
R. Montigny, 4.00
Cuisine italienne (La), Di Tomasso, 3.00
Diététique dans la vie quotidienne,
L. Lagacé, 4.00
En cuisinant de 5 à 6, J. Huot, 3.00
Fondues et flambées de maman Lapointe,
S. Lapointe, 4.00
Fruits (Les), J. Goode, 5.00

Grande Cuisine au Pernod (La),
S. Lapointe, 3.00
Hors-d'oeuvre, salades et buffets froids,
L. Dubois, 3.00
Légumes (Les), J. Goode, 5.00
Madame reçoit, H.D. LaRoche, 4.00
Mangez bien et rajeunissez, R. Barbeau, 3.00
Poissons et fruits de mer,
Soeur Berthe, 4.00
Recettes à la bière des grandes cuisines
Molson, M.L. Beaulieu, 4.00
Recettes au "blender", J. Huot, 4.00
Recettes de gibier, S. Lapointe, 4.00
Recettes de Juliette (Les), J. Huot, 4.00
Recettes de maman Lapointe,
S. Lapointe, 3.00
Régimes pour maigrir, M.J. Beaudoin, 4.00
Tous les secrets de l'alimentation,
M.J. Beaudoin, 2.50
Vin (Le), P. Petel, 3.00
Vins, cocktails et spiritueux,
G. Cloutier, 3.00
Vos vedettes et leurs recettes,
G. Dufour et G. Poirier, 3.00
Y'a du soleil dans votre assiette,
Georget-Berval-Gignac, 3.00

DOCUMENTS, BIOGRAPHIE

Architecture traditionnelle au Québec (L'),
Y. Laframboise, 10.00
Art traditionnel au Québec (L'),
Lessard et Marquis, 10.00
Artisanat québécois 1. Les bois et les
textiles, C. Simard, 12.00

Artisanat québécois 2. Les arts du feu,
C. Simard, 12.00
Acadiens (Les), E. Leblanc, 2.00
Bien-pensants (Les), P. Berton, 2.50
Ce combat qui n'en finit plus,
A. Stanké-J.L. Morgan, 3.00

Charlebois, qui es-tu?, B. L'Herbier, 3.00

Comité (Le), M. et P. Thyraud de Vosjoli, 8.00

Des hommes qui bâtissent le Québec, collaboration, 3.00

Drogues, J. Durocher, 3.00

Epaves du Saint-Laurent (Les), J. Lafrance, 3.00

Ermite (L'), L. Rampa, 4.00

Fabuleux Onassis (Le), C. Cafarakis, 4.00

Félix Leclerc, J.P. Sylvain, 2.50

Filière canadienne (La), J.-P. Charbonneau, 12.95

Francois Mauriac, F. Seguin, 1.00

Greffes du coeur (Les), collaboration, 2.00

Han Suyin, F. Seguin, 1.00

Hippies (Les), Time-coll., 3.00

Imprévisible M. Houde (L'), C. Renaud, 2.00

Insolences du Frère Untel, F. Untel, 2.00

J'aime encore mieux le jus de betteraves, A. Stanké, 2.50

Jean Rostand, F. Seguin, 1.00

Juliette Béliveau, D. Martineau, 3.00

Lamia, P.T. de Vosjoli, 5.00

Louis Aragon, F. Seguin, 1.00

Magadan, M. Solomon, 7.00

Maison traditionnelle au Québec (La), M. Lessard, G. Vilandré, 10.00

Maîtresse (La), James et Kedgley, 4.00

Mammifères de mon pays, Duchesnay-Dumais, 3.00

Masques et visages du spiritualisme contemporain, J. Evola, 5.00

Michel Simon, F. Seguin, 1.00

Michèle Richard raconte Michèle Richard, M. Richard, 2.50

Mon calvaire roumain, M. Solomon, 8.00

Mozart, raconté en 50 chefs-d'oeuvre, P. Roussel, 5.00

Nationalisation de l'électricité (La), P. Sauriol, 1.00

Napoléon vu par Guillemin, H. Guillemin, 2.50

Objets familiers de nos ancêtres, L. Vermette, N. Genêt, L. Décarie-Audet, 6.00

On veut savoir, (4 t.), L. Trépanier, 1.00 ch.

Option Québec, R. Lévesque, 2.00

Pour entretenir la flamme, L. Rampa, 4.00

Pour une radio civilisée, G. Proulx, 2.00

Prague, l'été des tanks, collaboration, 3.00

Premiers sur la lune, Armstrong-Aldrin-Collins, 6.00

Prisonniers à l'Oflag 79, P. Vallée, 1.00

Prostitution à Montréal (La), T. Limoges, 1.50

Provencher, le dernier des coureurs des bois, P. Provencher, 6.00

Québec 1800, W.H. Bartlett, 15.00

Rage des goof-balls (La), A. Stanké, M.J. Beaudoin, 1.00

Rescapée de l'enfer nazi, R. Charrier, 1.50

Révolte contre le monde moderne, J. Evola, 6.00

Riopelle, G. Robert, 3.50

Struma (Le), M. Solomon, 7.00

Terrorisme québécois (Le), Dr G. Morf, 3.00

Ti-blanc, mouton noir, R. Laplante, 2.00

Treizième chandelle (La), L. Rampa, 4.00

Trois vies de Pearson (Les), Poliquin-Beal, 3.00

Trudeau, le paradoxe, A. Westell, 5.00

Un peuple oui, une peuplade jamais! J. Lévesque, 3.00

Un Yankee au Canada, A. Thério, 1.00

Une culture appelée québécoise, G. Turi, 2.00

Vizzini, S. Vizzini, 5.00

Vrai visage de Duplessis (Le), P. Laporte, 2.00

ENCYCLOPEDIES

Encyclopédie de la maison québécoise, Lessard et Marquis, 8.00

Encyclopédie des antiquités du Québec, Lessard et Marquis, 7.00

Encyclopédie des oiseaux du Québec, W. Earl Godfrey, 8.00

Encyclopédie du jardinier horticulteur, W.H. Perron, 8.00

Encyclopédie du Québec, Vol. I et Vol. II, L. Landry, 6.00 ch.

ESTHETIQUE ET VIE MODERNE

Cellulite (La), Dr G.J. Léonard, 4.00
Chirurgie plastique et esthétique (La),
  Dr A. Genest, 2.00
Embellissez votre corps, J. Ghedin, 2.00
Embellissez votre visage, J. Ghedin, 1.50
Etiquette du mariage, Fortin-Jacques,
  Farley, 4.00
Exercices pour rester jeune, T. Sekely, 3.00
Exercices pour toi et moi,
  J. Dussault-Corbeil, 5.00
Face-lifting par l'exercice (Le),
  S.M. Rungé, 4.00
Femme après 30 ans (La), N. Germain, 3.00

Femme émancipée (La), N. Germain et
  L. Desjardins, 2.00
Leçons de beauté, E. Serei, 2.50
Médecine esthétique (La),
  Dr G. Lanctôt, 5.00
Savoir se maquiller, J. Ghedin, 1.50
Savoir-vivre, N. Germain, 2.50
Savoir-vivre d'aujourd'hui (Le),
  M.F. Jacques, 3.00
Sein (Le), collaboration, 2.50
Soignez votre personnalité, messieurs,
  E. Serei, 2.00
Vos cheveux, J. Ghedin, 2.50
Vos dents, Archambault-Déom, 2.00

LINGUISTIQUE

Améliorez votre français, J. Laurin, 4.00
Anglais par la méthode choc (L'),
  J.L. Morgan, 3.00
Corrigeons nos anglicismes, J. Laurin, 4.00
Dictionnaire en 5 langues, L. Stanké, 2.00

Petit dictionnaire du joual au français,
  A. Turenne, 3.00
Savoir parler, R.S. Catta, 2.00
Verbes (Les), J. Laurin, 4.00

LITTERATURE

Amour, police et morgue, J.M. Laporte, 1.00
Bigaouette, R. Lévesque, 2.00
Bousille et les justes, G. Gélinas, 3.00
Berger (Les), M. Cabay-Marin, Ed. TM, 5.00
Candy, Southern & Hoffenberg, 3.00
Cent pas dans ma tête (Les), P. Dudan, 2.50
Commettants de Caridad (Les),
  Y. Thériault, 2.00
Des bois, des champs, des bêtes,
  J.C. Harvey, 2.00
Ecrits de la Taverne Royal, collaboration, 1.00
Exodus U.K., R. Rohmer, 8.00
Exxoneration, R. Rohmer, 7.00
Homme qui va (L'), J.C. Harvey, 2.00
J'parle tout seul quand j'en narrache,
  E. Coderre, 3.00
Malheur a pas des bons yeux (Le),
  R. Lévesque, 2.00
Marche ou crève Carignan, R. Hollier, 2.00
Mauvais bergers (Les), A.E. Caron, 1.00

Mes anges sont des diables,
  J. de Roussan, 1.00
Mon 29e meurtre, Joey, 8.00
Montréalités, A. Stanké, 1.50
Mort attendra (La), A. Malavoy, 1.00
Mort d'eau (La), Y. Thériault, 2.00
Ni queue, ni tête, M.C. Brault, 1.00
Pays voilés, existences, M.C. Blais, 1.50
Pomme de pin, L.P. Dlamini, 2.00
Printemps qui pleure (Le), A. Thério, 1.00
Propos du timide (Les), A. Brie, 1.00
Séjour à Moscou, Y. Thériault, 2.00
Tit-Coq, G. Gélinas, 4.00
Toges, bistouris, matraques et soutanes,
  collaboration, 1.00
Ultimatum, R. Rohmer, 6.00
Un simple soldat, M. Dubé, 4.00
Valérie, Y. Thériault, 2.00
Vertige du dégoût (Le), E.P. Morin, 1.00

LIVRES PRATIQUES – LOISIRS

Aérobix, Dr P. Gravel, 3.00
Alimentation pour futures mamans,
  T. Sekely et R. Gougeon, 4.00

Améliorons notre bridge, C. Durand, 6.00
Apprenez la photographie avec Antoine
  Desilets, A. Desilets, 5.00

Arbres, les arbustes, les haies (Les),
P. Pouliot, 7.00
Armes de chasse (Les), Y. Jarrettie, 3.00
Astrologie et l'amour (L'), T. King, 6.00
Bougies (Les), W. Schutz, 4.00
Bricolage (Le), J.M. Doré, 4.00
Bricolage au féminin (Le), J.-M. Doré, 3.00
Bridge (Le), V. Beaulieu, 4.00
Camping et caravaning, J. Vic et
R. Savoie, 2.50
Caractères par l'interprétation des visages,
(Les), L. Stanké, 4.00
Ciné-guide, A. Lafrance, 3.95
Chaînes stéréophoniques (Les),
G. Poirier, 6.00
Cinquante et une chansons à répondre,
P. Daigneault, 3.00
Comment amuser nos enfants,
L. Stanké, 4.00
Comment tirer le maximum d'une mini-
calculatrice, H. Mullish, 4.00
Conseils à ceux qui veulent bâtir,
A. Poulin, 2.00
Conseils aux inventeurs, R.A. Robic, 3.00
Couture et tricot, M.H. Berthouin, 2.00
Dictionnaire des mots croisés,
noms propres, collaboration, 6.00
Dictionnaire des mots croisés,
noms communs, P. Lasnier, 5.00
Fins de partie aux dames,
H. Tranquille, G. Lefebvre, 4.00
Fléché (Le), L. Lavigne et F. Bourret, 4.00
Fourrure (La), C. Labelle, 4.00
Guide complet de la couture (Le),
L. Chartier, 4.00
Guide de la secrétaire, M. G. Simpson, 6.00
Hatha-yoga pour tous, S. Piuze, 4.00
8/Super 8/16, A. Lafrance, 5.00
Hypnotisme (L'), J. Manolesco, 3.00
Information Voyage, R. Viau et J. Daunais,
Ed. TM, 6.00
Interprétez vos rêves, L. Stanké, 4.00

J'installe mon équipement stéréo, T. I et II,
J.M. Doré, 3.00 ch.
Jardinage (Le), P. Pouliot, 4.00
Je décore avec des fleurs, M. Bassili, 4.00
Je développe mes photos, A. Desilets, 6.00
Je prends des photos, A. Desilets, 6.00
Jeux de cartes, G. F. Hervey, 10.00
Jeux de société, L. Stanké, 3.00
Lignes de la main (Les), L. Stanké, 4.00
Magie et tours de passe-passe,
I. Adair, 4.00
Massage (Le), B. Scott, 4.00
Météo (La), A. Ouellet, 3.00
Nature et l'artisanat (La), P. Roy, 4.00
Noeuds (Les), G.R. Shaw, 4.00
Origami I, R. Harbin, 3.00
Origami II, R. Harbin, 3.00
Ouverture aux échecs (L'), C. Coudari, 4.00
Parties courtes aux échecs,
H. Tranquille, 5.00
Petit manuel de la femme au travail,
L. Cardinal, 4.00
Photo-guide, A. Desilets, 3.95
Plantes d'intérieur (Les), P. Pouliot, 7.00
Poids et mesures, calcul rapide,
L. Stanké, 3.00
Tapisserie (La), T.-M. Perrier,
N.-B. Langlois, 5.00
Taxidermie (La), J. Labrie, 4.00
Technique de la photo, A. Desilets, 6.00
Techniques du jardinage (Les),
P. Pouliot, 6.00
Tenir maison, F.G. Smet, 3.00
Tricot (Le), F. Vandelac, 4.00
Vive la compagnie, P. Daigneault, 3.00
Vivre, c'est vendre, J.M. Chaput, 4.00
Voir clair aux dames, H. Tranquille, 3.00
Voir clair aux échecs, H. Tranquille et
G. Lefebvre, 4.00
Votre avenir par les cartes, L. Stanké, 4.00
Votre discothèque, P. Roussel, 4.00
Votre pelouse, P. Pouliot, 5.00

LE MONDE DES AFFAIRES ET LA LOI

ABC du marketing (L'), A. Dahamni, 3.00
Bourse (La), A. Lambert, 3.00
Budget (Le), collaboration, 4.00
Ce qu'en pense le notaire, Me A. Senay, 2.00
Connaissez-vous la loi? R. Millet, 3.00
Dactylographie (La), W. Lebel, 2.00
Dictionnaire de la loi (Le), R. Millet, 2.50
Dictionnaire des affaires (Le), W. Lebel, 3.00
Dictionnaire économique et financier,
E. Lafond, 4.00

Divorce (Le), M. Champagne et Léger, 3.00
Guide de la finance (Le), B. Pharand, 2.50
Initiation au système métrique,
L. Stanké, 5.00
Loi et vos droits (La),
Me P.A. Marchand, 5.00
Savoir organiser, savoir décider,
G. Lefebvre, 4.00
Secrétaire (Le/La) bilingue, W. Lebel, 2.50

PATOF

Cuisinons avec Patof, J. Desrosiers, 1.29

Patof raconte, J. Desrosiers, 0.89
Patofun, J. Desrosiers, 0.89

SANTE, PSYCHOLOGIE, EDUCATION

Activité émotionnelle (L'), P. Fletcher, 3.00
Allergies (Les), Dr P. Delorme, 4.00
Apprenez à connaître vos médicaments,
   R. Poitevin, 3.00
Caractères et tempéraments,
   C.-G. Sarrazin, 3.00
Comment animer un groupe,
   collaboration, 4.00
Comment nourrir son enfant,
   L. Lambert-Lagacé, 4.00
Comment vaincre la gêne et la timidité,
   R.S. Catta, 3.00
Communication et épanouissement
   personnel, L. Auger, 4.00
Complexes et psychanalyse,
   P. Valinieff, 4.00
Contact, L. et N. Zunin, 6.00
Contraception (La), Dr L. Gendron, 3.00
Cours de psychologie populaire,
   F. Cantin, 4.00
Dépression nerveuse (La), collaboration, 4.00
Développez votre personnalité,
   vous réussirez, S. Brind'Amour, 3.00
Douze premiers mois de mon enfant (Les),
   F. Caplan, 10.00
Dynamique des groupes,
   Aubry-Saint-Arnaud, 3.00
En attendant mon enfant,
   Y.P. Marchessault, 4.00
Femme enceinte (La), Dr R. Bradley, 4.00
Guérir sans risques, Dr E. Plisnier, 3.00
Guide des premiers soins, Dr J. Hartley, 4.00

Guide médical de mon médecin de famille,
   Dr M. Lauzon, 3.00
Langage de votre enfant (Le),
   C. Langevin, 3.00
Maladies psychosomatiques (Les),
   Dr R. Foisy, 3.00
Maman et son nouveau-né (La),
   T. Sekely, 3.00
Mathématiques modernes pour tous,
   G. Bourbonnais, 4.00
Méditation transcendantale (La),
   J. Forem, 6.00
Mieux vivre avec son enfant, D. Calvet, 4.00
Parents face à l'année scolaire (Les),
   collaboration, 2.00
Personne humaine (La), Y. Saint-Arnaud, 4.00
Pour bébé, le sein ou le biberon,
   Y. Pratte-Marchessault, 4.00
Pour vous future maman, T. Sekely, 3.00
15/20 ans, F. Tournier et P. Vincent, 4.00
Relaxation sensorielle (La), Dr P. Gravel, 3.00
S'aider soi-même, L. Auger, 4.00
Soignez-vous par le vin, Dr E. A. Maury, 4.00
Volonté (La), l'attention, la mémoire,
   R. Tocquet, 4.00
Vos mains, miroir de la personnalité,
   P. Maby, 3.00
Votre personnalité, votre caractère,
   Y. Benoist-Morin, 3.00
Yoga, corps et pensée, B. Leclerq, 3.00
Yoga, santé totale pour tous,
   G. Lescouflar, 3.00

SEXOLOGIE

Adolescent veut savoir (L'),
   Dr L. Gendron, 3.00
Adolescente veut savoir (L'),
   Dr L. Gendron, 3.00
Amour après 50 ans (L'), Dr L. Gendron, 3.00
Couple sensuel (Le), Dr L. Gendron, 3.00
Déviations sexuelles (Les), Dr Y. Léger, 4.00
Femme et le sexe (La), Dr L. Gendron, 3.00
Helga, E. Bender, 6.00
Homme et l'art érotique (L'),
   Dr L. Gendron, 3.00
Madame est servie, Dr L. Gendron, 2.00

Maladies transmises par relations
   sexuelles, Dr L. Gendron, 2.00
Mariée veut savoir (La), Dr L. Gendron, 3.00
Ménopause (La), Dr L. Gendron, 3.00
Merveilleuse histoire de la naissance (La),
   Dr L. Gendron, 4.50
Qu'est-ce qu'un homme, Dr L. Gendron, 3.00
Qu'est-ce qu'une femme, Dr L. Gendron, 4.00
Quel est votre quotient psycho-sexuel?
   Dr L. Gendron, 3.00
Sexualité (La), Dr L. Gendron, 3.00
Teach-in sur la sexualité,
   Université de Montréal, 2.50
Yoga sexe, Dr L. Gendron et S. Piuze, 4.00

SPORTS (collection dirigée par Louis Arpin)

ABC du hockey (L'), H. Meeker, 4.00
Aikido, au-delà de l'agressivité,
   M. Di Villadorata, 4.00
Bicyclette (La), J. Blish, 4.00

Comment se sortir du trou au golf,
   Brien et Barrette, 4.00
Courses de chevaux (Les), Y. Leclerc, 3.00

Devant le filet, J. Plante, **4.00**
 D. Brodeur, **4.00**
Entraînement par les poids et haltères,
 F. Ryan, **3.00**
Expos, cinq ans après,
 D. Brodeur, J.-P. Sarrault, **3.00**
Football (Le), collaboration, **2.50**
Football professionnel, J. Séguin, **3.00**
Guide de l'auto (Le) (1967), J. Duval, **2.00**
 (1968-69-70-71), **3.00** chacun
Guy Lafleur, Y. Pedneault et D. Brodeur, **4.00**
Guide du judo, au sol (Le), L. Arpin, **4.00**
Guide du judo, debout (Le), L. Arpin, **4.00**
Guide du self-defense (Le), L. Arpin, **4.00**
Guide du trappeur,
 P. Provencher, **4.00**
Initiation à la plongée sous-marine,
 R. Goblot, **5.00**
J'apprends à nager, R. Lacoursière, **4.00**
Jocelyne Bourassa,
 J. Barrette et D. Brodeur, **3.00**
Jogging (Le), R. Chevalier, **5.00**
Karaté (Le), Y. Nanbu, **4.00**
Kung-fu, R. Lesourd, **5.00**
Livre des règlements, LNH, **1.50**
Lutte olympique (La), M. Sauvé, **4.00**
Match du siècle: Canada-URSS,
 D. Brodeur, G. Terroux, **3.00**
Mon coup de patin, le secret du hockey,
 J. Wild, **3.00**
Moto (La), Duhamel et Balsam, **4.00**

Natation (La), M. Mann, **2.50**
Natation de compétition (La),
 R. Lacoursière, **3.00**
Parachutisme (Le), C. Bédard, **5.00**
Pêche au Québec (La), M. Chamberland, **5.00**
Petit guide des Jeux olympiques,
 J. About, M. Duplat, **2.00**
Puissance au centre, Jean Béliveau,
 H. Hood, **3.00**
Raquette (La), Osgood et Hurley, **4.00**
Ski (Le), W. Schaffler-E. Bowen, **3.00**
Ski de fond (Le), J. Caldwell, **4.00**
Soccer, G. Schwartz, **3.50**
Stratégie au hockey (La), J.W. Meagher, **3.00**
Surhommes du sport, M. Desjardins, **3.00**
Techniques du golf,
 L. Brien et J. Barrette, **4.00**
Techniques du tennis, Ellwanger, **4.00**
Tennis (Le), W.F. Talbert, **3.00**
Tous les secrets de la chasse,
 M. Chamberland, **3.00**
Tous les secrets de la pêche,
 M. Chamberland, **3.00**
36-24-36, A. Coutu, **3.00**
Troisième retrait (Le), C. Raymond,
 M. Gaudette, **3.00**
Vivre en forêt, P. Provencher, **4.00**
Vivre en plein air, P. Gingras, **4.00**
Voie du guerrier (La), M. di Villadorata, **4.00**
Voile (La), Nik Kebedgy, **5.00**

Ouvrages parus à
L'ACTUELLE JEUNESSE

Echec au réseau meurtrier, R. White, **1.00**
Engrenage (L'), C. Numainville, **1.00**
Feuilles de thym et fleurs d'amour,
 M. Jacob, **1.00**
Lady Sylvana, L. Morin, **1.00**
Moi ou la planète, C. Montpetit, **1.00**

Porte sur l'enfer, M. Vézina, **1.00**
Silences de la croix du Sud (Les),
 D. Pilon, **1.00**
Terreur bleue (La), L. Gingras, **1.00**
Trou (Le), S. Chapdelaine, **1.00**
Une chance sur trois, S. Beauchamp, **1.00**
22,222 milles à l'heure, G. Gagnon, **1.00**

Ouvrages parus à
L'ACTUELLE

Aaron, Y. Thériault, **3.00**

Agaguk, Y. Thériault, **4.00**

Allocutaire (L'), G. Langlois, 2.50
Bois pourri (Le), A. Maillet, 2.50
Carnivores (Les), F. Moreau, 2.50
Carré Saint-Louis, J.J. Richard, 3.00
Centre-ville, J.-J. Richard, 3.00
Chez les termites,
  M. Ouellette-Michalska, 3.00
Cul-de-sac, Y. Thériault, 3.00
D'un mur à l'autre, P.A. Bibeau, 2.50
Danka, M. Godin, 3.00
Débarque (La), R. Plante, 3.00
Demi-civilisés (Les), J.C. Harvey, 3.00
Dernier havre (Le), Y. Thériault, 3.00
Domaine de Cassaubon (Le),
  G. Langlois, 3.00
Dompteur d'ours (Le), Y. Thériault, 3.00
Doux Mal (Le), A. Maillet, 3.00
En hommage aux araignées, E. Rochon, 3.00
Et puis tout est silence, C. Jasmin, 3.00
Faites de beaux rêves, J. Poulin, 3.00
Fille laide (La), Y. Thériault, 4.00
Fréquences interdites, P.-A. Bibeau, 3.00
Fuite immobile (La), G. Archambault, 3.00

Jeu des saisons (Le),
  M. Ouellette-Michalska, 2.50
Marche des grands cocus (La),
  R. Fournier, 3.00
Monsieur Isaac, N. de Bellefeuille et
  G. Racette, 3.00
Mourir en automne, C. de Cotret, 2.50
N'Tsuk, Y. Thériault 3.00
Neuf jours de haine, J.J. Richard, 3.00
New Medea, M. Bosco, 3.00
Ossature (L'), R. Morency, 3.00
Outaragasipi (L'), C. Jasmin, 3.00
Petite fleur du Vietnam (La),
  C. Gaumont, 3.00
Pièges, J.J. Richard, 3.00
Porte Silence, P.A. Bibeau, 2.50
Requiem pour un père, F. Moreau, 2.50
Scouine (La), A. Laberge, 3.00
Tayaout, fils d'Agaguk, Y. Thériault, 3.00
Tours de Babylone (Les), M. Gagnon, 3.00
Vendeurs du Temple (Les), Y. Thériault, 3.00
Visages de l'enfance (Les), D. Blondeau, 3.00
Vogue (La), P. Jeancard, 3.00

Ouvrages parus aux
PRESSES
LIBRES

Amour (L'), collaboration 7.00
Amour humain (L'), R. Fournier, 2.00
Anik, Gilan, 3.00
Ariâme . . .Plage nue, P. Dudan, 3.00
Assimilation pourquoi pas? (L'),
  L. Landry, 2.00
Aventures sans retour, C.J. Gauvin, 3.00
Bateau ivre (Le), M. Metthé, 2.50
Cent Positions de l'amour (Les),
  H. Benson, 4.00
Comment devenir vedette, J. Beaulne, 3.00
Couple sensuel (Le), Dr L. Gendron, 3.00
Démesure des Rois (La),
  P. Raymond-Pichette, 4.00
Des Zéroquois aux Québécois,
  C. Falardeau, 2.00
Emmanuelle à Rome, 5.00
Exploits du Colonel Pipe (Les),
  R. Pradel, 3.00
Femme au Québec (La),
  M. Barthe et M. Dolment, 3.00
Franco-Fun Kébecwa, F. Letendre, 2.50
Guide des caresses, P. Valinieff, 4.00
Incommunicants (Les), L. Leblanc, 2.50
Initiation à Menke Katz, A. Amprimoz, 1.50
Joyeux Troubadours (Les), A. Rufiange, 2.00
Ma cage de verre, M. Metthé, 2.50

Maria de l'hospice, M. Grandbois, 2.00
Menues, dodues, Gilan, 3.00
Mes expériences autour du monde,
  R. Boisclair, 3.00
Mine de rien, G. Lefebvre, 3.00
Monde agricole (Le), J.C. Magnan, 3.50
Négresse blonde aux yeux bridés (La),
  C. Falardeau, 2.00
Niska, G. Robert, 12.00
Paradis sexuel des aphrodisiaques (Le),
  M. Rouet, 4.00
Plaidoyer pour la grève et la contestation,
  A. Beaudet, 2.00
Positions +, J. Ray, 4.00
Pour une éducation de qualité au Québec,
  C.H. Rondeau, 2.00
Québec français ou Québec québécois,
  L. Landry, 3.00
Rêve séparatiste (Le), L. Rochette, 2.00
Sans soleil, M. D'Allaire, 4.00
Séparatiste, non, 100 fois non!
  Comité Canada, 2.00
Terre a une taille de guêpe (La),
  P. Dudan, 3.00
Tocap, P. de Chevigny, 2.00
Virilité et puissance sexuelle, M. Rouet, 4.00
Voix de mes pensées (La), E. Limet, 2.50

Books published by HABITEX

Aikido, M. di Villadorata, **3.95**
Blender recipes, J. Huot, **3.95**
Caring for your lawn, P. Pouliot, **4.95**
Cellulite, G .Léonard, **3.95**
Complete guide to judo (The), L. Arpin, **4.95**
Complete Woodsman (The),
  P. Provencher, **3.95**
Developping your photographs,
  A. Desilets, **4.95**
8/Super 8/16, A. Lafrance, **4.95**
Feeding your child, L. Lambert-Lagacé, **3.95**
Fondues and Flambes,
  S. and L. Lapointe, **2.50**
Gardening, P. Pouliot, **5.95**
Guide to Home Canning (A),
  Sister Berthe, **4.95**
Guide to Home Freezing (A),
  S. Lapointe, **3.95**
Guide to self-defense (A), L. Arpin, **3.95**
Help Yourself, L. Auger, **3.95**

Interpreting your Dreams, L. Stanké, **2.95**
Living is Selling, J.-M. Chaput, **3.95**
Mozart seen through 50 Masterpieces,
  P. Roussel, **6.95**
Music in Canada 1600-1800,
  B. Amtmann, **10.00**
Photo Guide, A. Desilets, **3.95**
Sailing, N. Kebedgy, **4.95**
Sansukai Karate, Y. Nanbu, **3.95**
"Social" Diseases, L. Gendron, **2.50**
Super 8 Cine Guide, A. Lafrance, **3.95**
Taking Photographs, A. Desilets, **4.95**
Techniques in Photography, A. Desilets, **5.95**
Understanding Medications, R. Poitevin, **2.95**
Visual Chess, H. Tranquille, **2.95**
Waiting for your child,
  Y. Pratte-Marchessault, **3.95**
Wine: A practical Guide for Canadians,
  P. Petel, **2.95**
Yoga and your Sexuality, S. Piuze and
  Dr. L. Gendron, **3.95**

Diffusion Europe

Belgique: 21, rue Defacqz — 1050 Bruxelles
France: 4, rue de Fleurus — 75006 Paris

CANADA	BELGIQUE	FRANCE
$ 2.00	100 FB	14 F
$ 2.50	125 FB	17,50 F
$ 3.00	150 FB	21 F
$ 3.50	175 FB	24,50 F
$ 4.00	200 FB	28 F
$ 5.00	250 FB	35 F
$ 6.00	300 FB	42 F
$ 7.00	350 FB	49 F
$ 8.00	400 FB	56 F
$ 9.00	450 FB	63 F
$10.00	500 FB	70 F